AURORA

AURORA

O despertar da mulher exausta

MARCELA CERIBELLI

Rio de Janeiro, 2025

Copyright © 2022 por Marcela Ceribelli
Todos os direitos desta publicação são reservados à Casa dos Livros Editora LTDA.
Nenhuma parte desta obra pode ser apropriada e estocada em sistema de banco de dados ou processo similar, em qualquer forma ou meio, seja eletrônico, de fotocópia, gravação etc., sem a permissão dos detentores do copyright.

Diretora editorial: Raquel Cozer
Edição: Chiara Provenza e Diana Szylit
Assistência editorial: Camila Gonçalves
Copidesque: Mel Ribeiro
Revisão: Daniela Georgeto e Laila Guilherme
Projeto gráfico de capa: Amanda Pinho
Projeto gráfico de miolo e diagramação: Ligia Barreto | Ilustrarte Design
Foto da autora: Naelson de Castro

Dados Internacionais de Catalogação na Publicação (CIP)
Angélica Ilacqua CRB-8/7057

C391a
    Ceribelli, Marcela
       Aurora : o despertar da mulher exausta / Marcela Ceribelli. — Rio de Janeiro : HarperCollins, 2022.
       288 p.

    ISBN 978-65-5511-421-8

       1. Autoajuda 2. Autoconhecimento 3. Felicidade 4. Ansiedade I. Título.
                                                    CDD 158.1
22-4529
                                                    CDU 159.9

Os pontos de vista desta obra são de responsabilidade de sua autora, não refletindo necessariamente a posição da HarperCollins Brasil, da HarperCollins Publishers ou de sua equipe editorial.

Rua da Quitanda, 86, sala 601A — Centro
Rio de Janeiro, RJ — CEP 20091-005
Tel.: (21) 3175-1030
www.harpercollins.com.br

Para Odete, Renata, Rosana, Regina e Fabiana.
Se sou, é porque somos.

Sumário

Aurora, uma apresentação   8

PARTE 1   Exausta   10

PARTE 2   Mulheres difíceis   60

PARTE 3   O novo espelho   120

PARTE 4   Quanto dura o amor?   158

PARTE 5   Confie no seu processo   214

Agradecimentos   268

Referências bibliográficas   270

Aurora, uma apresentação

Ao longo dos três anos em que conversei semanalmente com mulheres brilhantes no *Bom Dia, Obvious*, pude admirar de perto a capacidade de reinvenção de cada uma delas. Não me parece à toa que na cultura greco-romana o amanhecer tivesse como deusa uma mulher chamada Aurora. Filha dos titãs Hiperião e Teia, ela é irmã de Hélio, o deus do sol. Enquanto Hélio puxa o sol pelos céus, é Aurora quem abre caminho, mostrando as primeiras luzes dentro da escuridão. Como bem disse Emicida, "é o astro rei, ok, mas vem depois, o sol só vem depois".

Aurora vem antes e nos mostra como funciona o poder de renovação: aos poucos, iluminando um tanto da escuridão dentro de nós até que o sol nos ilumine por completo. Não se trata apenas de grandes quebras de ciclos, mas também de abrir espaço, diariamente, para o melhor de nós, simbolizando, assim, nossa capacidade de renascer e encarar toda manhã como um possível recomeço.

Quando discutimos o nome do podcast que não ambicionava ser muito mais do que um piloto, cheguei rapidamente a *Bom Dia, Obvious*. Como você pode imaginar, sou aquela insuportável que acorda de muito bom humor logo cedo. Mais do que isso, porém, as muitas possibilidades de um amanhecer sempre me tocaram.

Às segundas, nove da manhã, temos nosso encontro semanal com novos episódios que carregam consigo a pergunta-chave do programa: o que você vai fazer por sua felicidade hoje? Pareceu-me que faria bem às ouvintes despertar para uma nova semana com reflexões que elas carregassem pelos próximos dias, em vez de acordarem desestimuladas pela sensação de que a rotina diária se tornou uma eterna repetição.

Acontece que eu também despertei nesse tempo. O podcast mudou profundamente meu olhar sobre o mundo e meu entendimento sobre mim. Quando criei a plataforma de conteúdo Obvious, mal falava para as pessoas que era eu quem estava por trás daquele *feed* colorido. O perfil era um escudo contra meu medo de ser julgada e uma forma de me jogar para o mundo como criativa. Lembro que tive uma taquicardia na noite anterior ao lançamento do programa: será que eu estava pronta para a exposição?

Não, não estava. Mas o medo das críticas nos torna cegas, a ponto de eu não enxergar que o melhor poderia acontecer. Hoje recebo tanto carinho das ouvintes que sei que estou colocando no mundo algo bom para as mulheres.

No início, eu precisava de suporte para os roteiros, mas o programa só deslanchou verdadeiramente quando eu assumi todas as palavras, e assim renascia minha paixão pela escrita. Possivelmente, uma das minhas grandes histórias de amor nesta vida.

Este livro nasce dessa paixão e de uma segunda dose de coragem. Agora, sim, estou me jogando e totalmente exposta. Ele segue o formato do podcast, ou seja, foi estruturado para ser lido sem ordem correta: leia de acordo com o que fizer mais sentido pra você.

Bom despertar.

PARTE 1

Exausta

"Imagine que você está em uma floresta, sozinha. Escuta um barulho estranho que logo lhe dá um arrepio. Então, presta atenção e tem um leão correndo atrás de você. Que medo. Agora, imagine que esse leão é apenas um e-mail que recebeu — parece uma comparação maluca?

Pois bem, nas duas situações o seu corpo reage da mesma forma. Seu cérebro percebe uma ameaça no ambiente e sua corrente sanguínea é inundada por adrenalina e cortisol, seguida por uma cascata de eventos fisiológicos: desde o aumento da frequência cardíaca até a mudança de atenção para o estado vigilante. Nosso corpo ativa todas essas alterações como aceleramos um motor antes de uma corrida, preparando-nos para entrar em ação pela nossa sobrevivência. Evolutivamente, nosso corpo ainda não sabe que o e-mail maligno não pode tirar nossa vida. É por essa e muitas outras que todo mundo está ansioso."

Tá todo mundo ansioso

O texto da folha anterior foi o primeiro monólogo que escrevi para o *Bom Dia, Obvious*. O episódio #1 do programa foi ao ar no dia 19 de maio de 2019. Com a comunicadora e amiga querida Luiza Brasil, abordamos uma companheira minha de longa data: a ansiedade. Minha história com a ansiedade não termina como uma cena final de filme, com uma câmera abrindo o enquadramento aos poucos e eu me encontrando em um retiro espiritual, enfim livre de qualquer taquicardia. Na verdade, talvez ela não tenha fim; é provável que a ansiedade seja uma personagem fixa na narrativa da minha vida. É por isso que imploro a você que não espere tirar deste capítulo fórmulas mágicas de como curar ou eliminar a sua ansiedade. Honestamente, não sei se é possível alguém acabar de vez com ela, mas sei que, entre altos e baixos, aprendi a conviver com a minha e até consigo controlá-la, em alguns momentos.

Para mim, isso só foi possível depois que entendi a diferença entre ansiedade e estresse, o que, para começo de conversa, ajudou a mudar drasticamente a minha relação com o segundo. Parece besteira, mas aprender a chamar as coisas pelos nomes certos pode ser revolucionário. Tive a oportunidade de entender isso na prática quando conheci o trabalho da neurocientista e pesquisadora americana Emily Nagoski, que escreveu, junto com sua irmã gêmea Amelia, o livro *Burnout: o segredo para romper com o ciclo do estresse*. Até hoje, vejo muitas pessoas usando os termos como sinônimos, e eu mesma, antes de ler esse livro, não saberia dizer a diferença. Então, vamos à semântica das palavras.

O estresse é a resposta biológica a qualquer coisa que o cérebro perceba como ameaça, os chamados "estressores". Eles podem ser externos, como uma demissão, um conflito com uma pessoa que você ama ou até um ônibus que não parou quando você fez sinal; ou internos, como a autodepreciação, o perfeccionismo e, claro, nossa amiga autocrítica. Além disso, lidamos com os estressores de maneiras diferentes, dependendo se são controláveis ou estão totalmente fora de nosso controle.

Então, continuando a analogia do meu primeiro monólogo no podcast, imagine que você começou a correr do leão desesperadamente. De duas, uma: ou virou um jantar com gosto de ácido hialurônico (só eu?), ou conseguiu escapar correndo, escondendo-se ou encontrando abrigo. O momento em que você olha ao redor e dá um grande suspiro de "ufa" é, bioquimicamente, o final de um ciclo completo de resposta ao estresse — é quando você consegue enviar ao corpo a mensagem de que está, enfim, segura. Logo chegarei às ferramentas que temos à disposição para isso, mas, para não torturar sua ansiedade, dou um spoiler: uma delas começa com "chapadinha" e termina com "de endorfina".

A ansiedade, por sua vez, é a experiência de estresse contínuo, que é desproporcional ao estressor e continua muito depois que ele desaparece. Obviamente, as duas coisas estão bastante relacionadas, mas nem todos que sofrem de estresse experimentam ansiedade. Eu e outros quase 20 milhões de brasileiros, infelizmente, sim.

Segundo a dra. Nagoski, nosso grande erro ao lidar com o estresse é não levar em consideração que ele é um ciclo. Como todos os processos biológicos (pense em sua digestão), ele tem um início, um meio e um fim. Se conseguirmos passar por todo o ciclo de resposta ao estresse chegando ao fechamento dele com essa consciência, permaneceremos saudáveis. Esse processo está por trás de todas as variantes da mensagem enviada ao cérebro de que você não está segura, que gera sensações como preocupação e medo. Mas também está por trás da raiva, irritação, aborrecimento, frustração, fúria. E, em grande parte, está por trás da paralisação que caracteriza a depressão.

Frequentemente, esperamos que apenas resolver o problema que ativou a resposta ao estresse seja suficiente, mas o processo de lidar com a maioria dos estressores modernos é fornecer caminhos para que o ciclo de resposta se complete. A ideia é deixar seu corpo passar de "estou em risco" para "estou seguro".

Lidar com nossos estressores é um processo diferente de lidar com o estresse em si. Digamos que o seu estressor tenha sido uma crítica pesada no trabalho. É ilusório pensar que basta chegar em casa para imediatamente seu corpo ficar em paz e relaxado, pois você ainda está no meio da resposta ao estresse. Mesmo que tenha lidado com o estressor — saindo do trabalho e se afastando da pessoa que fez a crítica —, seu corpo ainda precisa que você lide com o estresse em si, que é a maneira como a crítica bateu em você, para fechar o ciclo de resposta.

No livro *Talvez você deva conversar com alguém*, da psicanalista Lori Gottlieb, li a descrição perfeita de uma clássica situação a qual, uma vez consciente dela, evito ao máximo repetir. Era comum eu chegar em casa ao final de um dia de trabalho carregando toda a carga de estresse que tinha passado naquele dia. Pense: meus estressores ficaram para trás, mas o ciclo estava em pleno andamento. As duas reações que eu chamava apenas de "briga de casal" foram nomeadas pela psicanalista como projeção e identificação projetiva.

Na primeira, eu geralmente atribuía minhas crenças ao meu parceiro. Estava totalmente irritada e, assim que o via, questionava: "Aconteceu alguma coisa? Você está irritado?", basicamente projetando aquele mau humor que era meu mesmo. Prato cheio para uma briguinha chata. Já na segunda — por favor, não me ache uma pessoa ruim —, era clássico eu acabar despejando toda a minha emoção nele, que passava a ficar irritado. Lori compara a identificação projetiva a jogar uma batata quente para mãos alheias: você já não precisa sentir sua raiva, pois passou o sentimento adiante. Não dá para dizer que o ciclo do estresse se encerra aí, porque ele gerou um novo ciclo.

Aprendi que, pela harmonia da convivência, esses momentos de desencontro emocional precisam ser equalizados. Então, assim que chego em casa, dou um "oi" rápido e vou tomar banho, ouvir um podcast, sentir-me cheirosa e desconectar do celular. Aí, sim, consigo equilibrar as energias e passar a maiores interações. Pode até parecer bobo à primeira vista, mas boa parte das vezes em que você diz que teve um dia ruim, o que aconteceu foram cinco minutos de estresse em um ciclo mal resolvido que destruiu o restante do dia.

Uma vez que — com exceção da minha mãe em uma reportagem nos anos 1990 (chegaremos lá logo mais) — dificilmente somos perseguidos por felinos de 150 quilos, nossos estressores tendem a ser coisas que não ameaçam realmente nossa vida, pelo menos não a curto prazo. O otário no Twitter não vai matá-la, mas eleva sua resposta ao estresse sem oferecer a oportunidade de completar o ciclo. No cenário hipotético, se você der sorte e escapar do leão, ele se tornará apenas uma boa história; já no cenário bastante realista do infeliz do Twitter que a tira do sério, há uma chance razoável de ele continuar voltando à sua lembrança mesmo que você saia das redes sociais, como uma fera que você não conseguiu derrotar. Portanto, caminhamos com algumas décadas de ciclos incompletos de resposta ao estresse em nosso corpo, e esperam apenas que sigamos em frente e façamos o que precisamos fazer.

Em nossa conversa sobre ansiedade na estreia do podcast, em 2019 (ou seja, em tempos pré-pandêmicos), minha colega Luiza Brasil deu ideias para combater os ciclos incompletos de estresse. Ela ressaltou a importância de criarmos rituais como uma maneira de delimitar o poder que o mundo digital tem sobre nós, já que, não raro, a predominância dele em nossas vidas está acompanhada de angústias e frustrações. "A gente está deixando o digital nos abocanhar, quando deveria ser o contrário. Ele era para ser um grande aliado. A gente tem que domá-lo. Por isso sou a favor da construção de rituais como exercício físico, um chazinho, hora certa para acordar, momentos certos de acessar o celular, mesmo para quem trabalha com a internet."

A minha primeira crise de ansiedade não foi exatamente diagnosticada. Só bem depois que aconteceu fui entender que existia um nome para aquela sensação de que a cama ia me sugar e a qualquer segundo eu poderia morrer. A crise possivelmente resultou de quatro meses sem descanso. No meu desespero para fazer valer a mudança do Rio para São Paulo e ser bem-sucedida nessa cidade onde — logo aprendi — as pessoas mal almoçavam para poder trabalhar mais, topei um projeto sabendo que passaria esse longo período sem finais de semana.

Na época, eu trabalhava com produção audiovisual, então estamos falando sobre diárias de filmagem que começavam às sete da manhã e iam até as duas da manhã do dia seguinte. Nesse momento da minha vida, eu ainda não tinha aprendido a dizer "não" para algumas furadas fantasiadas de oportunidade. A voz interna da impostora me garantia que deixar de aceitar absolutamente tudo o que aparecesse seria o início do meu fim.

Hoje, sei reconhecer quando minha ansiedade me acorda no meio da noite, até porque a situação é sempre um pouco parecida: meu coração parece que vai pular da boca, eu abro os olhos e poderia facilmente correr uma maratona com toda a adrenalina que está ali. Não é assim só comigo: de acordo com o *DSM-IV (Manual de Diagnóstico e Estatística dos Transtornos Mentais)*, as reações fisiológicas de um ataque de pânico incluem alterações respiratórias, aumento da frequência cardíaca e da temperatura, tontura, sudorese, tremedeira, náusea e contração muscular. Além dos sintomas fisiológicos, o manual apresenta os impactos psicológicos de um ataque de pânico: preocupação, sensação de falta de realidade, perda de controle, medo como um todo.

Um estudo de 2011 conduzido por especialistas de três universidades americanas (Southern Methodist, Illinois e Stanford) e uma austríaca (Salzburg) monitorou por vinte e quatro horas treze pacientes que sofriam de ataques de pânico. Segundo os resultados, mesmo os ataques inesperados apresentam alterações fisiológicas quase quarenta e cinco minutos antes da crise, que dura em média oito minutos.

Gosto de ter noção desse tempo médio de duração para usar como estratégia quando estou em meio a uma crise. Primeiro, lembro que vai passar, porque já passou tantas outras vezes; depois, tento tirar o foco dos sintomas, distraindo a mente com a técnica 5-4-3-2-1. Recentemente, precisei utilizá-la durante uma aterrissagem no Rio de Janeiro, quando uma turbulência fez aquela máquina gigantesca parecer uma folha de papel ao vento para então arremeter de forma brusca. Imagine a sensação: a aeronave está quase pousando e decola de novo, de repente, com aquele impulso selvagem que parece que a gente vai pular para fora dela. Caótico, né? Pois é. Basicamente, assisti a um dos meus maiores pesadelos.

Essa técnica consiste em listar mentalmente:
- Cinco coisas que posso ver.
- Quatro coisas que posso tocar.
- Três coisas que posso ouvir.
- Duas coisas que posso cheirar.
- Uma coisa cujo gosto posso sentir.

Essa técnica de aterramento é muito boa porque nos tira da fantasia da ansiedade e nos traz de volta à realidade com estratégias sensoriais, forçando a respiração a diminuir. É através dos sentidos que podemos tirar o foco dos pensamentos repetitivos e fantasiosos que a ansiedade é especialista em criar e começar um processo de aterramento e contato com a realidade. Com respirações profundas, o diafragma estimula o nervo vago (que passa pelo crânio e controla movimentos involuntários do corpo), nossa resposta de relaxamento que contrabalanceia a resposta ao estresse.

Outra estratégia que já me salvou foi sair para caminhar de fone de ouvido e ouvir uma música que eu amo muito (Alexa, tocar "Vienna", de Billie Joel).

A ansiedade mente para a gente. Faz achar que nosso valor está diretamente conectado a conquistas profissionais, faz a gente confundir exaustão com falta de força de vontade. Tortura-nos com a crença de que estamos atrasadas para a nossa idade e até nos leva a sofrer por acreditar que as pessoas que mais amamos não se importam genuinamente com a gente. Mas sua pior mentira é nos convencer de que um erro vai nos definir para toda a vida.

Minha segunda crise de ansiedade aconteceu em um feriado de Finados. Como de costume, o céu estava cinza e caía uma chuva fina e gelada, um daqueles dias em que São Paulo distribui melancolia ao seu dispor. Às nove da manhã, senti certa tontura. Minha pálpebra já tremia havia dias, então isso me impressionou bem pouco. Minha garganta está fechando? Vou beber uma água. Fui até a janela, olhei para o céu, respirei. "Você está bem. Eu, hein?" Só que, às onze, minha cabeça já não tinha mais tanto otimismo; na verdade, a sentença "você está morrendo" passou a ecoar bem alto. Calafrios, coloca o casaco. Que calor, tira o casaco. A taquicardia e o braço formigando me convenceram de que eu deveria ir para o hospital.

Eu não estou sozinha nessa: uma pesquisa de 2020 com 2 mil pessoas concluiu que a média das mulheres empregadas tem síndrome de burnout aos trinta e dois anos, e que 59% das pessoas passaram a trabalhar mais na quarentena do novo coronavírus. Além disso, 70% das pessoas com transtornos de ansiedade são mulheres.

Logo eu, que gosto mesmo é de passar despercebida, entrei no Hospital São Camilo, em São Paulo, pedindo pelo amor de Deus para ser atendida rápido. Depois soube que despersonalização é um sintoma da crise: eu estava me sentindo totalmente fora de mim.

Como se pudesse pausar um filme passando na televisão, falei para o segurança: "Eu estou morrendo, vocês precisam levar a sério". Na primeira sala, a primeira boa notícia: níveis de glicemia ok. Na segunda, um ecocardiograma que por um minuto me fez lamentar não usar sutiã — fui preparada para morrer, não para ficar com os mamilos de fora. Segunda boa notícia: tudo certo com o coração.

Boa para quem? Não lembro exatamente o que o médico falou, mas sei que ele me fez rir. Ao me ver voltando a mim, o Renato, meu companheiro, apertou minha mão. "Você tá bem, gata", disse, com aquela voz que tem a capacidade única de me trazer para a realidade. Como é bom amar alguém que a abraça até com os olhos. Só que, avisada de eu não tinha nada físico, passei a virar a cabeça em negação e, aos prantos, dizia repetidamente: "Se eu não tenho nada, é pior ainda: o que está acontecendo comigo?". Mais uma senha, mais uma TV como trilha sonora de sala de espera. Homenagens para aqueles que já foram. Chove em São Paulo. Trânsito na saída do feriado. O que eu tenho, meu Deus?

Na terceira sala, encontrei a psiquiatra, uma mulher que não devia ser muito mais velha do que eu com expressão de "senta aqui, vem". Ela me explicou que já chegou em seu turno preparada para receber pessoas como eu, que feriados são os dias mais comuns para crises de pânico. Isso porque é comum descarregar adrenalina no corpo a certa hora do dia, e em dias de semana transformamos essa adrenalina em produtividade. Mas o corpo não sabe quando é feriado, então cumpre os costumes, assim como a chuva de Finados: dispara adrenalina mesmo quando você não precisa dela, liberando emoções acumuladas. Sem saber o que fazer com aquilo, a sensação de morte iminente é arrebatadora.

A celebrada dançarina e coreógrafa americana Agnes de Mille (1905-1993) tinha razão quando disse, em uma entrevista, que não soam trombetas quando momentos decisivos estão acontecendo em nossa vida, o destino se deixa conhecer silenciosamente. Por isso, quando a médica me perguntou como era a minha relação com exercícios físicos, eu não fazia ideia que dali nasceria a Chapadinhas de Endorfina, plataforma de conteúdo que ressignifica a nossa relação com atividades físicas. Respondi que sempre fui ativa, mas que especialmente no mês anterior não tinha tido tempo para me exercitar. Ela me pediu para, dali em diante, tratar atividade física como meu combate diário contra a ansiedade. Emily Nagoski ficaria orgulhosa dessa recomendação: segundo ela, a atividade física é a estratégia mais eficaz para completar o ciclo de resposta ao estresse e recalibrar o sistema nervoso central para um estado de calma. Teremos a Parte 3 inteira para falar sobre isso, mas, se você precisava de uma deixa para fechar este livro e ir se mexer, ela chegou. Eu espero você voltar.

Caso esteja com preguiça ou apenas cansada, a segunda estratégia mais eficaz para vencer o ciclo de estresse são as conexões humanas. Pense em nossas versões da caverna: definitivamente, o maior sinal de que estávamos em segurança era retornar ao local onde vivia a nossa tribo. Agora pense nas pessoas que são como lares emocionais, aquelas que, quando estão por perto, você sabe que pode baixar a guarda, expor suas vulnerabilidades, confiar seus segredos. Aquelas com quem você se sente segura.

"Os humanos não foram feitos para realizar grandes coisas sozinhos; somos construídos para fazê-lo em grupo. Quase uma espécie de colmeia", escrevem as irmãs Nagoski em *Burnout: O segredo para romper com o ciclo de estresse*. "Um abraço de vinte ou um beijo de seis segundos diz a nosso corpo que enfim estamos fora de risco. Nossos hormônios mudam, nossa frequência cardíaca diminui e reconhecemos que nosso corpo é um lugar seguro para estar. Claro, não temos que viver em um estado de conexão constante, somos construídos para oscilar da autonomia à conexão e vice-versa. O tempo gasto em nossa bolha de amor nos renova para que estejamos bem o suficiente para sair para o mundo."

Que fique extremamente claro aqui que não estamos falando apenas de relacionamentos amorosos. A cada dia, tenho mais certeza de que as amizades são mais importantes do que eles, e que meus amigos são como família. Quanto antes reconhecermos nossas amizades como uma fonte de afeto em vez de depositar todas as expectativas no amor romântico, melhor será nosso entendimento de que ser solteira não é ser sozinha. Como disse Nagoski, são importantes os momentos de conexão social para poder curtir nossa solitude; ou seja, ter equilíbrio.

A escola de medicina de Harvard concorda: segundo um artigo publicado por lá, apoio social é peça-chave para completar nosso ciclo de resposta ao estresse. Ainda não está claro por quê, mas pessoas que cultivam relacionamentos íntimos com família e amigos, mantendo uma rede social de intimidade e carinho, conseguem lidar melhor com momentos de estresse crônico e crise. Tudo isso está relacionado, inclusive, ao nível de longevidade. Quer viver mais? Cuide das suas relações.

Sobre medo e coragem

Se eu fosse listar pessoas que são como lares emocionais, minha mãe seria o primeiro nome. Quando decidimos que ela seria a convidada do especial de Natal de 2019 do *Bom dia, Obvious*, o episódio #19 do podcast, eu me tremia toda. Ela me veria fazendo algo que, até então, era totalmente novo para mim, mas sua zona de conforto. Foi uma das melhores gravações que tivemos até hoje, com gargalhadas, choro final e aquela sensação de que eu estava em casa. Há boatos de que esse é o episódio favorito de muita gente até hoje.

O tema escolhido, "Sobre medo e coragem", é definitivamente um desafio para mim e uma pauta de família. Cresci em uma casa em que o medo era quase um mascote, porém mais para um boneco assassino do que para um adorável elefante de pelúcia, e acompanhei minha mãe sair de uma existência em que tinha medo de elevador para se aventurar em uma catapulta humana. Você não leu errado, pode buscar no Google.

Para voltar à nossa já conhecida analogia do leão nos perseguindo, uma das poucas pessoas que sabem descrever realmente essa sensação é a jornalista Renata Ceribelli, minha mãe. A história aconteceu enquanto ela gravava uma reportagem para o *Vídeo*

Show — que inclusive ganhou o troféu "mico de 25 anos" do programa. Ela estava entrevistando um treinador de leão para uma matéria sobre pessoas que preparavam animais para comerciais. No podcast, ela lembrou que o leão já parecia meio nervoso desde a hora em que tinha chegado, e que inicialmente ela não estava com medo, mas o treinador contou que, no caminho até o local da reportagem, o leão tinha escapado em plena rodovia Castello Branco. É, os anos 1990 foram bem loucos mesmo.

"Fiquei preocupada, mas o treinador disse que o leão era manso. Falei que queria fazer a entrevista com ele ao lado e fui alertada de que não podia caminhar de frente para ele", minha mãe contou. Eu já conhecia a história, é claro, mas as ouvintes do podcast e as leitoras deste livro talvez não. "Para não assustar o bicho, tinha que ir reto e, ao chegar na direção dele, virar à esquerda. Então, fui andando e tinha uma escada que era o ponto onde eu deveria virar. Quando comecei a subir a escada, ouvi o treinador chamar: 'Sultão, Sultão', que era o seu nome, e o leão carregou o treinador com o cabo de aço que o prendia. Ele conseguiu agarrá-lo a centímetros de mim. Juro por Deus, eu lembro do bafo do leão nas minhas nádegas, foi inacreditável."

Qual é o medo que a acompanha diariamente? Não estou falando sobre grandes temores, como morrer ou perder seus pais; me refiro àquele medo rotineiro, tipo de aranha, dirigir na estrada, falar em público... Se bem que, ok, talvez agora seu novo medo seja encontrar um leão correndo no meio da rodovia Castello Branco.

Os meus medos são: o trânsito parar dentro de um túnel; ficar trancada em um banheiro; uma porta bater e eu ficar presa em um quarto. Basicamente, tenho pavor de ficar aprisionada, por isso preciso sempre ter à vista a porta de saída dos lugares. Na verdade, eu preciso ter planos de fuga. Metaforicamente, isso funcionou durante muito tempo também para os meus relacionamentos. Afinal, se eu esperar que vai acabar, deve doer menos quando finalmente eu for abandonada, né? Quando você tem medo de que tudo vá se desfazer em uma questão de segundos, o modo sobrevivência é o operante.

Minha imaginação atua como parceira da minha ansiedade ao visualizar cenários nítidos de tragédias iminentes. O romancista britânico Matt Haig, em seu livro *Observações sobre um planeta nervoso*, define-se como um catastrofista, e eu gostaria de saber onde pego minha carteirinha do clube. Sempre fui assim, desde nova. Se o telefone toca, no milésimo de segundo até eu dizer "alô" já desenhei cenários envolvendo mortes, acidentes, desastres. Somos feitos de pequenas partes das pessoas que mais amamos, então posso ser resultado de milhares de tardes acompanhando meu avô Teteu enquanto ele assistia ao pior da humanidade sendo apresentado pela TV aberta somadas a, veja bem, minha avó trancando a porta à noite para os espíritos não entrarem.

A verdadeira origem vou investigar em terapia, mas sei que sempre senti que, se nada de terrível tivesse acontecido até ali, era pura questão de sorte: o pior está sempre por vir. O político e ex-presidente dos Estados Unidos Franklin Roosevelt constatou, ainda em 1932, que "a única coisa que devemos temer é o medo", porque ele sabia que esse é o verdadeiro inimigo da liberdade.

No mesmo episódio do podcast, minha mãe comentou sobre a comemoração dos trinta anos da criação do *bungee jump* na Nova Zelândia, quando criaram a "catapulta humana". "Imagina que você é uma pedrinha entre dois vales e o sistema é como um estilingue: antes de cair, você vai reto, como uma curva elíptica, de braços abertos em posição de pássaro. Você atinge, em meio segundo, 100 quilômetros por hora, e depois fica rodando. Pode parecer assustador, mas é a coisa mais gostosa do mundo." Eu tenho arrepios só de imaginar, mas ela garante que, ao vencer o medo e ser dominada pela descarga de adrenalina, sentiu-se capaz de vencer muitos outros medos cotidianos.

Não há qualquer possibilidade de eu fazer algo minimamente parecido, mas, se você tem DNA aventureiro, saiba que há pesquisas que mostram que não foi só minha mãe que se sentiu dessa maneira uma vez que chegou ao chão. Essas atividades são relacionadas com a tomada de decisão de forma rápida, por isso o preparo envolve trabalhar não só o físico, mas também sua confiança. De acordo com um estudo feito na Austrália com praticantes de esportes radicais, a experiência provoca um medo intenso que é integrado e vivido como um evento construtivo na vida. O temor, em ambientes de risco controlado, é um recurso transformador.

Mas se você, assim como eu, só de ouvir sobre a experiência da minha mãe pensou "Credo!", pode se beneficiar ao saber que essa superação ocorre diariamente, mesmo que a gente não a registre como tal. Temos a tendência de não prestar atenção em nossas pequenas superações, assim como de não parar para pensar que aqueles que conhecemos e achamos valentes estão o tempo todo vivenciando o medo.

No final de 2019, a psicóloga Louise Madeira, apresentadora do podcast *New Me*, enviou um áudio bem bonito para o episódio #19 do podcast, "Sobre medo e coragem", pontuando muito bem a relação entre os sentimentos: "Eu não diria que medo e coragem são conceitos complementares, também não acho que um é o contrário do outro; eles andam juntos. A coragem de uma pessoa, em determinada circunstância, é proporcional ao tamanho do medo que ela venceu".

Segundo ela, a coragem não é um conceito absoluto. O exemplo que ela deu envolve um sentimento que muitos vivenciamos quando pequenas. Imagine um cachorro e duas crianças: uma delas não tem medo e passa na frente dele sem titubear, enquanto a outra, com medo, organiza suas emoções e passa. "Quem foi mais corajosa? A segunda, porque teve medo e conseguiu passar. Nós só podemos falar sobre coragem quando houve uma ação que aconteceu *apesar* do medo, mas eu tenho muito cuidado para lidar com o estímulo à coragem, porque todo medo precisa ser acolhido

"Eu não diria que medo e coragem são conceitos complementares, também não acho que um é o contrário do outro; eles andam juntos. A coragem de uma pessoa, em determinada circunstância, é proporcional ao tamanho do medo que ela venceu."

e muito respeitado." Ou seja, quando nós valorizamos demais a coragem, corremos o risco de dar a entender que quem não supera o medo tem menos valor. Mas isso não é verdade. "Não podemos considerar medo uma fraqueza, ele quer apenas dizer que a pessoa não está preparada para lidar com a situação, mas ela pode reconhecer o medo, trabalhar e superar; isso, sim, é coragem", concluiu.

Talvez o maior dos erros seja confundir o verdadeiro significado desta que é uma das palavras mais bonitas do nosso dicionário e que carrego tatuada em minha nuca: *coragem*. Desde que me entendo por gente, achava que era medrosa porque associava essa palavra apenas a grandes atos dignos de música de ação. Foi quando entendi que coragem é ter firmeza para enfrentar situações difíceis; não sem medo, mas *apesar* dele. Aliás, escrever este livro está sendo uma baita prova disso. Então tenho medo, sim, mas existe muita coragem dentro de mim, e agora tenho algo na pele e meu primeiro livro publicado que me lembram disso.

Exausta de estar exausta

Para o filósofo coreano Byung-Chul Han, o excesso de positividade e produtividade é a causa do cansaço geral da população. Em seu livro *A sociedade do cansaço*, ele explora a forma como, nesse cenário, estamos sempre fadadas a estar em falta. Se não com a família, com o trabalho. Se não com projetos pessoais, com os relacionamentos. Na tentativa de equilibrar esses pratos enquanto caímos nas falácias de produtividade tóxica, transformamos as vinte e quatro horas do dia em momentos possíveis de monetização e nos proibimos momentos que poderiam ser considerados inúteis. Você também está exausta? Acho que todo mundo está.

A sementinha do que estamos vivendo na sociedade do cansaço tem a ver com uma discussão de meados de 2010, sobre a glorificação do ocupado. A matéria mais antiga que encontrei sobre o assunto foi publicada em 2014 no *HuffPost*, mas uma rápida pesquisa mostra diversos outros veículos falando sobre isso. Eu acredito que esse conceito nasceu como irmão gêmea da ideia de que, se você trabalhar com o que ama, nunca mais trabalhará na vida. Risos.

A glorificação do ocupado também acompanhou a popularização dos smartphones, que tornou invisíveis as barreiras entre trabalho e vida pessoal. Naquele tempo, ainda achávamos bonita a história de que, se você perguntasse a alguém se estava tudo bem, a pessoa diria orgulhosa que sim, mas que estava muito ocupada. Hoje, a resposta parece que mudou para um cabisbaixo "estou muito cansada". Afinal, será que estamos sofrendo as consequências de termos tratado estar atarefado como status social?

No final de 2020, alguns dos meus familiares se juntaram aos 22 milhões de brasileiros infectados com a covid-19, e foi um período muito difícil para a nossa família. Minha avó na UTI, meu avô internado e um tio falecido me deixaram completamente desnorteada. A loucura é que, na mesma semana em que tudo isso aconteceu, eu tinha conseguido uma entrevista com um artista de quem sou muito fã. Assim, muito! Aquelas primeiras vinte e quatro horas do baque do vírus eram o tempo que eu tinha para escrever o roteiro — mas eu simplesmente não conseguia.

Foi aí que tive uma longa conversa por telefone com meu irmão, que, como bom acrobata e artista circense totalmente fora da lógica e do ritmo do mercado de comunicação, deu-me permissão e compaixão em forma de palavras: "Tá doida, Marcela? É muito recente, claro que você não vai conseguir ser produtiva hoje". Desmarquei a entrevista me sentindo muito mal por isso, mas, com o tempo, entendi que foi um "não" para a entrevista e um "sim" para mim mesma. Em uma sociedade em que a produtividade se tornou tóxica, muitas vezes nossa única autorização para pausar é quando alguma doença nos enfraquece. Por isso, precisamos de acolhimento externo para lembrar que a saúde emocional importa tanto ou mais do que a física.

O percurso até o trabalho precisa ser usado para aprender algo novo, no almoço é necessário responder e-mails e, para aqueles que caíram na violência da crença "trabalhe enquanto eles dormem", até as necessidades básicas entram em jogo. Mas, no fim das contas, estamos otimizando tempo para quê? O que fazemos com o tempo que sobra? Sobra algum? Em um dos meus ensaios favoritos do livro *Falso espelho: reflexões sobre a autoilusão*, a escritora e editora américo-canadense Jia Tolentino fala sobre como a otimização constante faz parte do arquétipo da mulher ideal. Aquela que dá conta. Que consegue congelar os efeitos do tempo em sua aparência enquanto constrói uma carreira admirável, com um parceiro que geralmente completa seu contexto social ideal e que, em breve, será uma mãe que dará conselhos para todas as outras. Tudo isso muito bem representado em suas redes sociais, claro.

"Tentar encontrar uma maneira de ser uma mulher 'melhor' é um projeto ridículo e muitas vezes amoral, uma subdivisão de um projeto maior e também ridículo de 'melhorar' na vida sob o capitalismo acelerado", ela escreve no livro. "Nesse tipo de busca, muitos prazeres acabam sendo armadilhas, e as demandas por parte do público aumentam continuamente. Sob as regras do sistema, a satisfação permanece como algo fora de alcance."

Otimizamos nosso tempo de forma que nossos prazeres têm objetivo pouco declarado, mas intimamente enraizado na construção de um "eu digital". Postar um vídeo seu praticando um esporte para provar que é, sim, uma corredora; um *boomerang* de um brinde entre amigas para mostrar que é amada; a foto de um livro que provavelmente nem vai ler até o final para ressaltar que, além de tudo, você é intelectual. A performance digital se torna inerente à presença nas redes a partir do momento em que sabemos que tudo ali faz parte da nossa curadoria. Ei, eu também estou nessa. Ter consciência não me liberta automaticamente.

Em 2021, estreou no GNT a série *Sociedade do cansaço*, com base no livro homônimo de Byung-Chul Han. Na ocasião, entrevistei o diretor da série, Patrick Hanser, e sua produtora, Andrea Giusti, sobre como a otimização da vida talvez seja o grande algoz da exaustão coletiva que estamos vivendo. O resultado é o *Bom dia, Obvious* #114, "Tá todo mundo exausto".

Hanser explicou que eles dividiram a tese do cansaço em dez temas: trabalho, perfeição, lazer, remédio, sono, relacionamentos, consumo, internet, positividade e segurança. Em cada um, analisou-se como a otimização da vida gera consequências "para o bem e para o mal". Como exemplo, ele citou o episódio sobre relacionamentos, no qual foram analisados os aplicativos de encontros, que trazem uma lógica mercadológica para as relações.

"Em vez de nos aprofundarmos e conhecermos a pessoa, estamos julgando. A pessoa fica, em média, de dois a três segundos em cada card nos aplicativos de paquera para dar o sim ou não. Estamos julgando superficialmente uma vitrine de si mesma que a outra pessoa está criando", ele diz, antes de complementar com o contraponto pessoal: "Existe essa crítica, mas, por outro lado, eu encontrei a minha parceira no Tinder e já estamos juntos há cinco anos".

A série dirigida por Hanser busca mostrar como essa otimização pode afetar nossa saúde mental e nossos relacionamentos, mas também traz a nuance de que esses aplicativos são apenas uma tecnologia, uma ferramenta, e não necessariamente algo ruim. O diretor contou no podcast que o episódio sobre lazer o fez pensar sobre o sentimento de culpa que tinha por, às vezes, não fazer nada em um domingo.

Eu não poderia concordar mais. É necessário um tanto de autorresponsabilização, e precisamos saber dosar o uso das ferramentas. Nós as controlamos, e não o oposto. No segundo semestre de 2021, em um momento em que precisei lidar mais uma vez com o burnout, percebi que o que eu tinha não era falta de tempo para fazer tudo, mas coisas demais para fazer com meu tempo. Eu precisava diminuir a quantidade de tarefas. A peça do quebra-cabeça está maior do que ele, não vai encaixar. Andrea Giusti, a produtora da série, definiu isso como a "sensação de nunca dar conta das tarefas e a culpa que vem atrelada a tudo isso. No âmbito de mãe, mulher, cuidar do corpo, se relacionar com as pessoas que você ama, estar presente. Com a internet, isso vem cada vez mais forte, e é exaustivo".

Acontece que nossa exaustão atual também é consequência de escolhas feitas por outras pessoas. Então, precisamos entender até onde podemos dosar o uso de ferramentas virtuais e até quando precisamos nos entregar a elas, mas não podemos remediar a falta de uma política nacional durante a pandemia nem o cataclismo econômico da última década — e muito menos nos culpar por isso.

Quanto mais conversei com especialistas e pessoas na mesma situação, mais me senti abraçada por não estar sozinha nesse limbo de querer me permitir desconectar, mas sentir uma ansiedade incontrolável porque deveria estar fazendo mais. Lembro, inclusive, de uma fase em que, em pleno final de semana, via um *story* de alguém trabalhando e pensava que deveria estar fazendo o mesmo. Durante a pandemia, comecei a me cobrar pelos momentos romantizados de leitura, cozinha, cerâmica, o que fosse. Até que (finalmente!) tive um momento de clareza e me acalmei lembrando que, se minha saúde estava minimamente boa e o que eu conseguia ao final do dia era assistir a *Os Sopranos* seguido de *BBB20*, isso poderia ser feito.

Como sou movida a um humor um tanto tragicômico, seguem aqui pérolas de absurdos já cometidos por mim de tão cansada que estava:
- Cansada nível preguiça de encontrar o controle e assistir a qualquer filme da *Tela Quente*.
- Cansada nível entrei no banho de óculos e cogitei deixar por isso mesmo.
- Cansada nível encontrei meu celular perdido na geladeira.
- Cansada nível confundir Hipoglós com pasta de dente.

A verdade é que ninguém nos preparou para o mundo de agora, então não se culpe por passar por ele de forma imperfeita. Esse sentimento não é apenas seu, ele é compartilhado por uma geração inteira nascida entre o começo dos anos 1980 e os anos 2000, como descreve a jornalista Anne Helen Petersen no livro *Não aguento mais não aguentar mais: Como os millennials se tornaram a geração do burnout*. Segundo ela, quem nasceu nesse período em geral enxerga a vida como uma série de ações. "Então, ser adulto — e, consequentemente, completar sua lista de tarefas — é difícil porque viver no mundo moderno, de alguma forma, consegue ser ao mesmo tempo mais fácil do que nunca e absurdamente complicado", ela escreve, explicando que o burnout acontece quando você faz de conta que a energia mental utilizada para tantas ações não se esgotará. Ela é finita, e você sente isso quando chega ao limite.

O burnout foi reconhecido pela primeira vez como um diagnóstico psicológico em 1974, por Herbert Freudenberger, para casos de colapso físico ou mental causado por excesso de trabalho ou estresse, sendo oficializado pela Organização Mundial da Saúde (OMS) como uma síndrome crônica em 2019. Uma pesquisa realizada pela International Stress Management Association (Isma-BR) em 2018 calcula que 32% dos trabalhadores no Brasil sofrem de burnout — ou seja, mais de 33 milhões de cidadãos. Em um ranking de oito países, os brasileiros ganham de chineses e americanos, ficando atrás apenas dos japoneses, com 70% da população atingida. Policiais, professores, jornalistas, médicos e enfermeiros estão entre as profissões mais afetadas pela pane física e mental.

Enquanto o burnout é um processo longo, com dias ou semanas de sintomas, a síndrome do pânico é um episódio agudo e avassalador. De tonturas e náuseas a medos paralisantes, suas manifestações se diferem também na intensidade, sendo um reflexo da curta duração. Ainda assim, as duas doenças compartilham sintomas e podem se retroalimentar: o burnout pode levar a crises de pânico, e crises de pânico sistemáticas, somadas ao estresse crônico do trabalho, também podem levar ao burnout.

Apesar de ter me tornado íntima dela na vida adulta, a crise de pânico é uma conhecida minha desde muito nova. Meu primeiro contato com ela foi na Marginal Tietê, em 1999. A minha mãe me

"Então, ser adulto — e, consequentemente, completar sua lista de tarefas — é difícil porque viver no mundo moderno, de alguma forma, consegue ser ao mesmo tempo mais fácil do que nunca e absurdamente complicado."

trazia de volta do dentista quando parou o carro e disse que estava morrendo. Falta de ar, muito medo. Ela diz que eu soube socorrê-la muito bem, mas me lembro de apenas ter feito carinho em sua cabeça e a ajudado a respirar. Nunca vou me esquecer dessa e das outras vezes em que precisei socorrer a minha mãe. Ela tinha 35 anos naquela primeira ocasião, quando foi diagnosticada com síndrome do pânico. Aquele dia no carro foi a primeira vez que o medo conseguiu paralisá-la. Hoje, fala-se muito nessa doença, mas, naquela época, nem os médicos sabiam lidar com ela direito. A minha mãe se lembra de que o preconceito era tanto que as pessoas achavam que psiquiatra era médico de maluco.

Ao diferenciar e dar nomes às coisas, vale lembrar que burnout é diferente de exaustão. Anne Helen Petersen explica dizendo que "exaustão significa chegar a um ponto em que você não consegue mais ir; burnout significa atingir esse ponto e se esforçar para continuar, seja por dias, semanas ou anos. Quando você está em meio a uma crise de burnout, a sensação de conquista ao fim de uma tarefa exaustiva — passar na prova ou terminar um projeto no trabalho — nunca vem".

Todas nós queremos tirar o máximo proveito do tempo que temos, porque a tecnologia é infalível em nos permitir fazer mais em menos minutos. A questão é que a exigência de produtividade, em todos os âmbitos da nossa vida, acompanhou essa nova equação. Temos a impressão de que podemos aproveitar muito mais nossos dias, mas para muitos já é difícil traçar uma linha que separe claramente o período de trabalho do tempo de lazer e autocuidado.

Será que realmente não dá tempo de fazer tudo ou esse "o que queremos realizar" simplesmente não cabe nas horas disponíveis em um dia? Talvez o problema não seja a falta de tempo, e sim a dinâmica de autoexploração e alta performance. Parece que cada vez mais queremos conquistar mais coisas mais cedo. É tragicômico perceber que nunca na história da humanidade a expectativa foi tão alta e, ainda assim, temos menos tempo para conquistar e aproveitar o que sonhamos.

O psicólogo e economista Herbert A. Simon, vencedor do Prêmio Nobel, criou o termo "economia da atenção". Segundo ele, a ideia de fazer várias coisas ao mesmo tempo — as famigeradas multitarefas — é um mito. Sabe aquela coisa de que demoramos quase meia hora para retomar a atenção a alguma atividade quando somos interrompidos? Pois é. A riqueza das informações causa a pobreza da atenção, garante Simon.

Ao mesmo tempo que nos sentimos gratas por ter muitas informações à disposição, estamos praticamente unidas pelo processo de *infoxicação*, uma forma de intoxicação pelo limbo em que somos superestimuladas por informações, notícias, notificações, e-mails, memes, *likes* e mensagens, destruindo nossa capacidade de prestar atenção em uma tarefa sem sermos distraídas. Nosso pouco tempo pode ser consequência de não conseguirmos parar de interromper os outros e ser interrompidas. Por isso, meu processo de escrita começa sempre por desligar todas as notificações, deixar o celular no modo avião, longe de mim, confiando no universo que, por uma hora, nada de trágico vai acontecer enquanto eu estiver fora de alcance. Lembre-se: sou catastrofista.

Embora atualmente a força de trabalho seja dominada por *millennials*, estatísticas indicam que a nossa geração é dez vezes mais pobre do que a de nossos pais. Nos Estados Unidos, em 2020, *millennials* reuniam, em conjunto, 5,19 trilhões de dólares, enquanto *boomers* somavam quase 60 trilhões de dólares. Ainda que os anos de principal ganho monetário não tenham sido atingidos por completo por nossa geração como um todo, as tendências históricas provam que a lacuna da riqueza é imensa: quando os *boomers* tinham a nossa idade, eles já haviam acumulado o equivalente a quatro vezes o que acumulamos. Infelizmente, não tenho dados brasileiros para citar, mas dá para imaginar que o nosso caso deve ser ainda mais alarmante.

"Na sua idade eu já tinha filhos, meu apartamento e uma vida estável" — esta é a frase clássica das gerações mais velhas para destruir nossa autoestima ou apenas alimentar com brutalidade nossa ansiedade. Mas será que estamos vivendo uma síndrome do Peter Pan coletiva ou os marcos da vida adulta apenas não são mais desejos universais? Em um dos meus trechos favoritos de seu livro, Anne Helen Petersen diz que "realizar sonhos *boomers* na realidade econômica atual é ter a sensação constante de que estamos montando uma estrutura firme em areia movediça".

Por favor, esqueça a ideia de que aos trinta anos você deveria ter casa própria, poupança garantida, casamento estável e filhos. As conquistas essenciais ao chegar a essa idade são dor na lombar, ressaca de dois dias, medo de abrir o aplicativo do banco e azia. Imploro para que você pare de comparar sua realidade com a fantasia que aprendeu a aspirar, ela é irreal. Petersen diz que existe uma rejeição por parte das gerações mais velhas à ideia de esgotamento por gente da nossa geração que parece assumir duas formas: a de que o chamado burnout é apenas reflexo da má e velha preguiça, ou apenas um termo sofisticado para a fadiga causada por uma longa lista de pendências. Para piorar, as soluções geralmente oferecidas para lidar com ele envolvem a ideia de superar a preguiça ou se organizar com menos atividades. "Embora as soluções pareçam mutuamente contraditórias, elas compartilham uma premissa básica", escreve a autora, referindo-se à ideia de que "tudo do que a geração [de *millenials*] está reclamando tem origem em escolhas erradas (fazer muito pouco ou demais) e pode ser remediado com escolhas melhores (fazendo mais ou menos). Esse foco em nossas escolhas pode ajudar a explicar o tom de exasperação audível em tantas dessas respostas. O que parece perturbar, ou pelo menos irritar, muitos críticos é a implicação de que os humanos não estão no comando total de nossas mentes e corpos; para que possamos ser vítimas de forças maiores do que nós".

A falácia de que poderíamos ganhar do sistema com muito esforço amadureceu, para se tornar a exigência de atender a expectativas altas e contraditórias. "Temos que trabalhar muito, mas, ao mesmo tempo, demonstrar equilíbrio entre a vida pessoal e a profissional", escreve Petersen. Byung-Chul Han, por sua vez, escreve que o burnout é "a doença de uma sociedade que sofre do excesso de positividade", com uma postura de acreditar que é capaz de tudo.

Como sou a rainha da autorresponsabilização (o que me dá enxaqueca aos domingos, mas também um tanto de bom senso), eu a convido a refletir: será que o tempo precisa sempre estar em falta e nosso corpo no limite para nos sentirmos dignas de sucesso? Acredito que, no futuro, vamos nos lembrar desta sociedade como maluca, pois em meio a uma pandemia, convivendo com o medo iminente da morte, cobrou a mesma produtividade.

Acho que a maioria das pessoas se acostumou com os sintomas da exaustão. Eu mesma nem sei o que é terminar um dia de trabalho sem sentir que tiraram tudo de mim. A diferença entre nosso cansaço atual e o que as gerações passadas sentiam cresce seguindo a curva da tecnologia. Eu poderia até culpar a vida adulta, mas a realidade é que o volume de informações que recebemos hoje, independentemente da idade, pode estar mexendo (e muito) com nossa percepção do tempo — e a falta de etiqueta virtual também é responsável por sentirmos que nunca estamos em paz. Sabe aquela sensação gostosa de ter tempo de sobra para fazer tudo o que precisa? Pois é, eu também tenho apenas uma vaga lembrança. Se a comunicação está doente por causa da vida acelerada, a chamada afluência do tempo — que diz respeito à ideia de que temos tempo suficiente — está quase morta.

O ano é 2003, quando eu queria ser amiga do primo da amiga que acabou de passar em primeiro lugar no vestibular de comunicação de uma universidade federal e estava sempre nas festas mais legais. Quase vinte anos depois, eu o chamo de melhor amigo. O hoje estrategista Luiz Arruda é, sem sombra de dúvidas, uma das pessoas mais inteligentes que eu conheço. Não economizo elogios nem oportunidades de chamá-lo para o programa. No episódio #26 do *Bom Dia, Obvious*, veiculado em 2020 com o nome "Não tenho tempo para nada", resolvi chamá-lo para falar sobre a nossa relação com o tempo.

Ele trouxe para a conversa o conceito da afluência do tempo: como explicou, é aquela sensação de que uma semana se passou e não conseguimos fazer tudo o que precisávamos nem o que queríamos fazer por prazer. Só que hoje isso praticamente não acontece. A sensação que temos é de que nunca mais daremos conta de tudo o que precisamos e queremos fazer. "Vivemos em um relógio diferente do dos nossos pais nos anos 1980 e 1990. Eles tinham um tempo mais coletivo, existia uma rotina coletiva, as pessoas trabalhavam mais parecido, das nove às dezessete. Na sociedade dessincronizada de hoje, a sua rotina de trabalho é completamente diferente da minha, que é completamente diferente da dos nossos amigos ou dos nossos inimigos", ele disse. Em resumo, concluiu: "É aquela sensação de que a sociedade está andando num passo mais rápido do que você consegue dar conta".

Eu tenho pavor, em especial, de e-mails cujo assunto vem com [URGENTE] — assim, entre colchetes, sendo que, quando você lê o conteúdo, geralmente fica explícito que a pressa é do outro, não sua. Quando tudo é urgente, nada é inadiável, mas precisamos vencer um desafio por vez. Nos anos 1990, existia um telefone fixo para o qual talvez, em caso de emergência, seu chefe poderia ligar, mas mesmo em profissões que envolvem emergências (filha de médico e jornalista aqui, ok?), para alguém ser perturbado na folga, só em caso de vida ou morte.

Acredito que metade da sensação de que não conseguimos focar e realizar um trabalho do início ao fim seja porque somos interrompidas sem cerimônia o tempo inteiro. A evolução da urgência acompanhou a da tecnologia, mas peço com carinho: não faça do seu atraso a minha pressa. Talvez tenha chegado o momento de entender os absurdos que foram normalizados com a velocidade da comunicação on-line. Ninguém ligaria para um telefone fixo às onze da noite de uma segunda-feira para falar de algo banal sobre o trabalho. Então, por que estamos mandando WhatsApp a essa hora?

Não dá para criar mais horas no dia, mas temos algumas ferramentas que podem acelerar ou diminuir nossa percepção sobre o tempo. Sou particularmente encantada pelo Shinrin-yoku, o chamado "banho de floresta", terapia reconhecida no Japão desde os anos 1980. Com base em evidências científicas de que, quando estamos na natureza, temos a sensação de que o tempo passa mais devagar, os médicos japoneses recomendam caminhadas como antídoto para a vida agitada dos centros urbanos. Essa mesma pesquisa indica que, quanto mais próximos de ambientes com influência urbana, mais rápido o tempo parece passar.

Em grandes centros urbanos, não temos florestas à nossa disposição, mas entender o conceito deixa ainda mais claro que, não à toa, cidades como São Paulo nos fazem sentir que os dias duram tão pouco. Então, pare de chamar de mala a amiga que a chama para fazer uma trilha. Mentira, fique à vontade para detestar caminhadas com mosquitos ao seu redor. Mas tenha em mente que ainda existem escapes e que, definitivamente, não fomos feitos para viver com tantos estímulos por todo lado. E trilha é tão legal, poxa.

A internet vai nos enlouquecer?

Eu tenho uma lembrança clara de um tempo que mais parece uma realidade paralela, mas que arrisco ser 2004, apesar de eu ser pouco confiável quando se trata de datas. Nesse passado distante, uma amiga tinha voltado de uma viagem do Japão e contava, abismada: "Você acredita que eles ficam o tempo todo com o celular na mão? No metrô, nas filas, nas lojas. Eles mal conversam entre si, não enxergam o que está ao redor, só olham pra tela do celular".

Minha sensação na hora, e sobre sensações nostálgicas você pode confiar bastante em mim, foi de choque e curiosidade. Também um pouco de pena, por tudo que eles estavam perdendo ao ficarem presos ao telefone; ainda mais no Japão, um lugar que eu sonho em conhecer. Carreguei, durante alguns anos, a curiosidade sobre *o que será que acontece dentro de um celular a ponto de você deixar de olhar para a vida real?*, mas, como você pode imaginar, não demorou até ser substituída por *ok, já entendi, chegamos lá*.

Qual foi a última coisa que você fez ontem antes de dormir? E hoje, ainda na cama, antes de se levantar, repetiu esse mesmo ato? Se você for como 70% dos brasileiros, sabe do que estou falando: olhou o celular antes de fechar os olhos e, possivelmente, assim que voltou a abri-los, acionou essa mesma tela para ajudar a despertar — e não para se conectar, como os objetivos das redes sugerem.

Ter contato com amigos, informar-se em velocidade nunca vista antes e todas as outras praticidades que você deve enumerar se cogita passar um tempo afastado das telas não invalidam o fato de que a internet está nos deixando ansiosos. A maneira como as notícias chegam até nós nos faz perder o otimismo. E a possibilidade de anonimato destruiu qualquer resquício de empatia, despertando um tanto de perversidade quando o sucesso alheio se torna espelho das frustrações pessoais. Nesse parquinho que já pega fogo há tanto tempo, porém, quem está se beneficiando com os rumos da internet?

A verdade é que os efeitos da conexão vinte e quatro horas por dia ainda são um mistério para a humanidade. Você pode até acreditar na previsão de que, no futuro, a ideia de estarmos conectados o tempo todo parecerá tão absurda quanto a de fumar em um avião, mas parece-me que já estamos em uma emergência, sem máscaras de oxigênio caindo sobre nós.

Escolhemos setembro de 2020 para debater os rumos da internet e nossa sanidade mental em uma série de quatro episódios em parceria com a empresa de pesquisa Float. Naquele momento, as emoções do ambiente on-line pareciam ainda mais exacerbadas. Pudera: completávamos seis meses em isolamento social devido à covid-19 com um presidente genocida no poder e poucas perspectivas de vacina. Em meio à pesquisa sobre os efeitos da internet, fui levada a tentar entender como a sociedade se comportou em outras epidemias e tropecei em um tesouro sobre casos de histeria em massa. Foi inevitável pensar nas viralizações e nas retaliações na internet, e relato dois dos meus favoritos.

Frau Troffea era uma mulher solitária, moradora da cidade de Estrasburgo, que um dia começou a dançar sozinha e sem música no meio da rua. Sua coragem e seu bom humor resultaram, inicialmente, em *likes* e compartilhamentos, digo, em palmas e gritos de incentivo, só que, depois de seis dias com esse comportamento, algumas pessoas começaram a desconfiar de que algo ali não era tão divertido assim. A essa altura, trinta e quatro pessoas já tinham se unido a ela na dança. Após trinta dias, já somavam quatrocentas pessoas. Com toda aquela gente dançando sem parar, o número de mortos (!) passou a ser quinze por dia.

Gosto muito da ideia que tiveram para tentar solucionar o problema: montaram um palco e levaram músicos ao local acreditando que, se a dança virasse de fato uma festa, as pessoas desanimariam. Acho que faltaram a alguns Carnavais, já que o efeito foi oposto: mais dançarinos se juntaram. Alguns especialistas explicam que essa epidemia de dança era uma espécie de contágio cultural que atingia populações em extrema dificuldade, fazendo com que quisessem dançar até perder a cabeça. Com o tempo, o evento se repetiu em mais algumas cidades, e os estudiosos ainda não conseguiram entender com certeza o que de fato aconteceu. Essa história logo me traz à mente o boom das dancinhas do TikTok em meio à pandemia — não parece similar?

Outro caso ocorreu na Idade Média. Uma freira começou a miar e transformou o convento em um péssimo vizinho quando todas as suas companheiras se uniram a ela e passaram a miar em horários específicos do dia. O incômodo era tanto que soldados foram acionados para fazê-las parar.

Essas duas histórias mostram que somos mesmo seres coletivos e, apesar de tentarmos fugir, estamos sempre suscetíveis às emoções do grupo. É por isso que quinze minutos no Twitter talvez sejam suficientes para drenar toda a nossa energia.

Ansiedade pode estar relacionada ao sentimento de falta, e as redes sociais, em especial, são campeãs em fazer com que a gente se sinta incompleta. Basta uma rápida olhada no *feed* para sermos lembradas de forma violenta do que não temos e o que não somos. Sabemos que a felicidade, definitivamente, não faz bem para a economia, mas como podemos aprender a diferenciar desejos genuínos daqueles que são fruto de ansiedade?

No episódio 57 do *Bom Dia, Obvious*, denominado "Uma vez on-line, sempre ansioso?", o psicanalista Lucas Liedke falou sobre compulsão e como ela nos faz sentir falta de coisas de que não precisamos — por exemplo, comer quando não estamos com fome. "O que a gente está realmente comendo nesses momentos? Existe algo que vem ali que não é sobre se nutrir. O que a gente está fumando quando fuma? O que se rói junto com a unha?", indagou, completando em seguida: "É claro que pode ser a falta de um trabalho que me faça feliz, a saudade de alguém que tenho dificuldade de admitir ou o fato de que eu queria ter mais dinheiro do que tenho. Pode ser uma frustração, um trauma antigo ou medo do futuro. Certamente, algumas coisas são difíceis de elaborar, de se pensar a respeito, então a gente fica tentando fechar esse buraco de algum jeito".

Quando eu entro na internet em dias em que estou muito consciente — não naqueles em que o celular serve apenas como uma ocupação para os olhos enquanto minha mente frita sobre outros assuntos —, parece que estou na casa do filme *Mãe!*, pura gritaria e caos. E, se a maior parte das minhas crises de pânico teve como gatilho lugares com aglomeração, penso que não à toa, após muito tempo conectada, ela aparece de fininho para dar um alô.

Falar que a nossa saúde mental está sendo diretamente prejudicada pela relação com as tecnologias chega a ser tão óbvio e batido que, como bons brasileiros que somos, já transformamos em meme. Fora dos *stories* eu ando muito bem, aliás; muito melhor desde que perdi totalmente o anseio, e quase reflexo, de pegar meu celular para registrar qualquer momento alegre. Talvez a felicidade combine mais com saber fechar as cortinas, desligar a câmera, não disponibilizar ingressos para a plateia e viver com presença completa os momentos off-line.

Se há telas, não há descanso

Nossa, esse *feed* está precisando de um pouco de cor... Esse café da manhã vai gerar *likes*, impossível os cachorrinhos *floparem*; quer dizer, não sei, vamos esperar. Essa legenda passa o que eu quero para a minha vida? Meu Deus, trinta minutos e nem cem *likes*?! Vou apagar. Não, calma, a influencer que eu gosto curtiu, é uma boa foto, sim, quem liga para engajamento? Putz, eu precisava fazer mais posts polêmicos, é o que dá certo. Ou talvez mais selfies? Não, eu odeio o meu nariz. Será que eu ganharia dinheiro como influenciadora? Ufa, duzentos *likes*. Eu tenho um bom tuíte na minha cabeça, tomara que não interpretem mal.

O conflito mental acima é totalmente inspirado no primeiro capítulo do livro *Adultos*, de Emma Jane Unsworth, em que a protagonista passa por pequenos momentos de taquicardia consciente em toda postagem que faz parte do seu "eu" digital. Você pode até dizer que não é esse tipo de blogueirinha, termo que eu, particularmente, abomino, mas, se você está em uma rede social, sinto lhe informar que o incentivo à performance no mundo digital é inerente.

O mercado de influência tornou as personalidades mercadorias em potencial, e estamos prontas para gritar "ação" em nossos próprios reality shows, que estão mais editados do que os episódios de *Keeping Up With the Kardashians*. Qualquer postagem pode levá-la ao apogeu da internet ou ao cancelamento total. Por isso pergunto: dá para ser você mesma on-line?

Diferentes tipos de cansaço pedem diferentes tipos de descanso, e foi uma virada de vida quando entendi que meu cansaço é mental, por isso descanso muito mais fazendo uma trilha de quatro horas do que deitada no sofá entediada, deixando minha cabeça fritar.

Dentre os vários tipos de cansaço, temos ainda o social — que, pasmem, é causado não só quando você extrapola seu carisma no almoço de família do namorado, mas também com o esforço que faz para sustentar sua persona on-line. Se as redes sociais são como um grande palco onde cada uma de nós tem seu próprio público, estamos constantemente interpretando um personagem para essa audiência. Como a jornalista e escritora Jia Tolentino colocou muito bem, para existir no mundo real, basta ser. Já no mundo virtual é preciso agir, exibir, postar. Sim, parte da nossa exaustão atual está totalmente relacionada com nossa performance digital.

O que percebo é que muitos estão perdendo a distinção entre viver e vender a vida, mesmo que nem todos ganhem dinheiro de fato com a exposição nas redes. Observo prazeres sendo transformados em produtos em potencial e aparências em avatares pouco comprometidas com a verdade. Não são apenas as influenciadoras que passam mais tempo se preocupando em mostrar o que querem que vejam do que vivendo. Em um trecho de *Adultos*, a mãe da protagonista, ao ver a filha obcecada por produzir conteúdo e com os números de *likes* e comentários que ele resulta, provoca: "Você está chateada porque alguém que você não conhece talvez não goste de uma versão sua que, na verdade, não existe".

No segundo episódio do nosso especial de setembro de 2020, o pesquisador de cultura André Alves e a atriz Fernanda Paes Leme foram ao *Bom dia, Obvious* discutir se era possível ser você mesmo no ambiente digital ou se estávamos fadados a criar fake news sobre nós mesmos. "Parece que esse pacto que fizemos, pelo menos na última década, em que todo mundo tinha que ser você mesmo não deu certo", disse André, destacando que estamos bem equivocados sobre quem pensamos que as pessoas acreditam que somos, mas que, felizmente, entre a geração Z (os nascidos entre o fim dos anos 1990 e 2010), a maioria acredita que o que vê no Instagram não representa a vida de alguém.

Mesmo concordando, é claro, com o fato de as redes estarem cheias de pessoas e sensações falsas, Fernanda fez um contraponto interessante: no dia a dia fora das redes, todos também temos várias versões de nós mesmos, uma no trabalho, outra na família, outra com os amigos. "Somos um pouco de muitas versões. É claro que isso acaba sendo o básico das relações digitais."

O livro *A representação do eu na vida cotidiana* talvez seja o mais importante do sociólogo Erving Goffman. Ele usa conceitos da Teoria do Teatro para retratar a importância das relações sociais, conceituando que, na vida, precisamos de performances para navegar entre as diferentes exigências sociais conforme os ambientes. Diferentes cenários pedem diferentes vocabulários, diferentes tons de voz, diferentes figurinos. É honesto e corajoso admitir que todas nós atuamos um pouquinho e sabemos como agir de determinada maneira com cada grupo de pessoas: você não é a mesma em uma entrevista de emprego e em um bar com amigos. Goffman diz que precisamos de um público para presenciar nossas performances, mas também de alívio, como se estivéssemos nos bastidores.

Fazendo um paralelo com o mundo digital, penso naquele meme que viralizou há um tempinho sobre "Eu no Facebook/ Eu no LinkedIn/ Eu no Instagram/ Eu no Tinder". Nele, as pessoas postavam suas fotos em cada uma das plataformas, lado a lado, deixando claras as diferenças entre elas. Imagino, ainda, que os bastidores seriam nossos momentos de intimidade e desconexão. A conta não fecha quando deixamos de ir para os bastidores e passamos a performar por mais tempo do que deveríamos. Hoje, ficar sem telas é como tomar fôlego em meio a um mergulho. Pense no nado livre: para cada duas braçadas, uma inspiração fora da água.

No que diz respeito às redes sociais, enxergo um paradoxo quando penso nessa "representação do eu", porque representamos o tempo todo, indiscriminadamente, para todo mundo. Parece que precisamos compartilhar momentos divertidos o suficiente para não parecer baixo-astral, porém sem nunca ostentar demais; ao mesmo tempo, compartilhar momentos ruins para se mostrar realista, mas com cuidado, para não pesar o clima; e, claro, compartilhar momentos não filtrados o bastante para parecer humano, mas ainda assim se mantendo atraente. A dor de sustentar uma presença digital, hoje, vem também porque mostrar a verdade passou a ser um esforço.

A comparação é inimiga da felicidade

Como boa medrosa que sou, nunca fui de usar drogas. Tive algumas experiências, mas sei que para sair de si é preciso saber relaxar, algo que a minha cabecinha não permite muito. Não recomendo usar qualquer tipo de substância se a sua cabeça não estiver tranquila e disposta a embarcar.

As redes sociais não são nem metade tão eficazes, mas a sensação de entorpecimento é notável. Com licença, vou pausar todos os meus problemas e saber quem terminou o namoro, por que terminou, se está sofrendo ou já tem um novo lance. Nunca tivemos tantas chances para deixar nossos problemas em uma geladeira quanto quando enfiamos a cabeça nessas plataformas. A maior e pior função das interações digitais é fazer com que a vida alheia pareça tão, e às vezes até mais, importante do que a nossa própria, anestesiando a dor da realidade por meio da alienação ao cuidar de uma vida que não é sua.

Ingrid vai para o Oeste, filme de 2017 protagonizado pela rainha do humor ácido Aubrey Plaza, é, na minha opinião, a obra que melhor retratou no cinema nossa relação com personalidades digitais. A história se confunde entre drama e comédia, porque, na verdade, a piada somos nós.

Ingrid é uma mulher jovem, provavelmente na faixa dos vinte anos, que perdeu a mãe. O vazio que ela sente é preenchido pelo grande volume de conteúdo que consome no Instagram, em especial de influenciadoras sempre solares — em brunchs "instagramáveis", com relacionamentos dignos de filme e aparências sempre impecáveis para um registro que vale seu *like*. Todos os motivos para ser #gratidão. Sua relação patológica com a plataforma torna difícil saber se a obsessão pela vida alheia é a causa ou sintoma de toda a infelicidade da protagonista.

Em uma noite, sua solidão parece ter acabado ao esbarrar no perfil de Taylor Sloane, interpretada por Elizabeth Olsen, que tem superpoderes de influenciadora — os quais alguns ousariam considerar mais funcionais do que os mostrados em *WandaVision*. Em uma resposta quase padrão a um comentário em uma foto, Taylor convida Ingrid para visitar seu negócio quando estiver em Los Angeles.

Quando não estamos acostumadas a afeto, fica difícil distinguir migalhas de verdadeira atenção, então esse breve contato é suficiente para nossa heroína de poucos seguidores usar todas as suas economias e se mudar para a Califórnia. Não sem antes fazer uma verdadeira imersão na vida da influenciadora: ela lê Didion e Hemingway, seus autores favoritos, pinta o cabelo no tom idêntico, compra os mesmos vestidos e, chegando lá, frequenta exatamente os mesmos lugares. As interações entre as duas são fáceis como deveriam ser: como ela conhece todos os gostos da influenciadora, as coincidências não têm fim.

Por mais que você não persiga sua influenciadora favorita, é preciso admitir que em algum momento já quis ter algo de sua vida. Vou poupá-la de spoilers detalhados sobre o final, mas adianto que não demora para Ingrid entender que uma vida que se nutre de performance pública só é possível se você aceitar um tanto de autoilusão e perda de espontaneidade.

Em uma viagem que fiz para Alagoas em 2019, chamou-me a atenção uma mulher que chegou para o café da manhã linda, mas um pouco desconectada do visual dos outros presentes naquela manhã no Nordeste: muita maquiagem, cabelo modelado com *babyliss* e poderia até adicionar um salto aqui. Contei, no episódio #60 do *Bom dia, Obvious*, que tentei ao máximo não julgá-la, só que, chegando na praia, ela sentou ao meu lado e, em vez de mergulhar e viver aquele paraíso, passou pelo menos umas quatro horas tentando tirar a foto perfeita.

Giovanna Heliodoro, historiadora e comunicadora conhecida nas redes sociais como Trans Preta, era a convidada nesse dia, e comentou como essa história era o perfeito reflexo da falta de verdade dos registros virtuais: "Em quanto tempo ela vai editar essa foto, fazer a legenda, e que verdade vai estar impressa naquela legenda? 'Ai que delícia de praia, que maravilhoso'?". Por trás de muita viagem paradisíaca que vemos nas telas tem pouco mergulho no mar, assim como vários posts com legendas apaixonadas são de relacionamentos que já terminaram há tempos. Comparar nossos bastidores com o *feed* e os *stories* dos outros é uma grande injustiça conosco.

Muito se fala sobre as redes sociais serem um ambiente de ódio, mas talvez elas sejam um ambiente de inveja onde reagimos ao ter esse sentimento desautorizado. Voltando ao filme, Ingrid, devido a todas as suas questões mentais, foi além e quis se tornar a pessoa que admirava, mas o mais comum é rejeitar aquilo que bate na nossa insegurança.

O jogo do status social não é nada novo, mas o agravante atual é a gamificação da aceitação. Durante minha adolescência de internet discada, meu círculo social eram pessoas que eu via pessoalmente, e o tempo que eu podia dedicar a comparar realidades não chegava a 10% do que uma adolescente hoje (sente que) convive com outras pessoas. Sempre soube quem eram as meninas mais populares — nisso, nada mudou —, já que, na maioria das vezes, tinha a ver com um padrão de beleza ou poder financeiro. Mas não sabia exatamente quanto elas eram mais populares. Será que eu teria mil seguidores e elas um milhão? Uma foto minha teria cem *likes* e a delas cem mil? É agora que, apesar das calças de cintura baixa, eu agradeço por ter crescido sem 4G? Acho que sim.

A glorificação do (des)ocupado

Uma das coisas que movimentam a economia é nossa impossibilidade de sentir tédio. No livro *Resista: não faça nada: a batalha pela economia da atenção*, Jenny Odell fala sobre como estamos vivendo em uma situação em que cada momento de vida se tornou pertinente para o nosso ganha-pão. A tecnologia, associada à insegurança econômica, dissolveu as fronteiras entre trabalho, descanso e lazer, tornando nossas vinte e quatro horas potencialmente monetizáveis.

    A necessidade não só de trabalhar, mas de divulgar seu trabalho constantemente e monetizar todo e qualquer tipo de hobby destruiu o conceito de repouso, transformando-o em uma transgressão por excelência. Afinal, quem se dá o direito de não fazer nada quando existe a ideia enraizada de que não basta ser bom no que faz, tem que parecer bom; ou de que descanso é uma recompensa quando "se chega lá", não um direito básico. Aliás, que "lá" é esse que parece mais um arco-íris, do qual, quanto mais próximo se chega, mais distante se parece estar? Se a autopromoção é tão importante quanto o trabalho em si, estamos todos trabalhando em dobro: ao produzir e ao divulgar a produção.

    É avassaladora a quantidade de material que existe sobre a importância do trabalho no desenvolvimento da autoestima, mas, recentemente, tem-se estudado quanto relacionar a autoestima apenas com trabalho pode ser prejudicial, especialmente porque, apesar de aumentar a produtividade, pode diminuir o bem-estar — tanto pelas consequências trazidas por uma demissão ou por não conseguir repetir a excelência em todas as situações quanto pelo fato de diminuir a instância de outras fontes de autoamor.

Essa equação, que em si é baseada em uma integração de trabalho e vida, é perfeita para o burnout: o que você ama se torna o seu trabalho, o seu trabalho se torna o que você ama. Não há separação entre dia útil e de lazer ou entre "eu" profissional e "eu" real. Com isso, falta o espaço mental para questionar o que realmente a faz feliz.

Quando cito a ideia de passar pelo menos duas horas do final de semana com o celular desligado, a primeira reação é sempre: "O que você faz? Vou ficar entediada". Estamos com tanto barulho interno, que não sabemos diferenciar o que amamos fazer do que fazemos no automático. Experimente se sentir entediada e confiar no que o silêncio da sua mente diz; isso trará um prazer autêntico. Não um monetizável ou para exibir nas redes sociais. Algo que seja seu.

Eu tenho pensado cada vez mais no nosso direito ao descanso, que ao longo do tempo foi ganhando uma reputação até ruim, como se fosse sinônimo de gente "desocupada", e como se estar sem tarefas fosse um crime. Em uma pesquisa, encontrei que a noção moderna de direito ao descanso e lazer é reconhecida no artigo 24 da Declaração Universal dos Direitos Humanos, que afirma: "Todos têm direito a descanso e lazer, incluindo a limitação razoável das horas de trabalho e férias remuneradas periódicas". O repouso não é brincadeira. Não é para trabalhar enquanto eles dormem, é para dormir mesmo.

Foi em meio ao surto do Clubhouse, rede social de áudio tão exclusiva que acabou ficando esquecida, que conheci virtualmente Dani Arrais, a fundadora da Contente.vc, uma plataforma de conteúdo e mídia para uma vida digital mais consciente. Ela dividiu, com quem estava na sala da rede social, que não suportava mais a ideia de descanso ser tratado como luxo. É claro que não demorou muito para eu convidá-la a falar sobre esse assunto no podcast.

"Eu tenho pavor do '5 a.m. club', que diz que você tem que acordar às cinco da manhã e tomar um banho gelado para aumentar a sua produtividade", disse ela no episódio #85, "Exausta de estar exausta". "Estamos acelerando os processos de uma maneira bizarra, essa corrida não tem fim e a linha de chegada é o burnout. Se você fez tudo isso e não descansou, você acabou esgotada. É muito nocivo, e as redes podem colocar esse comportamento como normal e aspiracional, é a meritocracia bombando. 'Se você fizer um Clubhouse no domingo, você vai conseguir ser bem-sucedido'. Algumas pessoas até vão, mas estamos excluindo o contexto de privação que estamos vivendo. Nunca vimos tantas pessoas desempregadas. Acreditamos que, se não estamos fazendo mais, o problema é nosso, sendo que o problema é o contexto. Quando vamos conseguir olhar para as coisas a partir de um pilar mais amplo?"

É verdade que muitos não querem ou não podem fazer mudanças radicais, mas um bom começo passa pela mudança interna. Veja sua vida com um olhar crítico e se convença de que o tédio, a solidão, a introspecção e a contemplação não são os grandes vilões da vida acelerada. Traga-os para a sua rotina! Aliás, tanto não são que existem termos em outras línguas cujo significado é, literalmente, não fazer nada. *Niksen*, de origem holandesa, não apenas significa experimentar o ócio como também se refere a, obrigatoriamente, fazer algo sem propósito. O segredo desse tipo de relaxamento vem de atividades semiautomáticas que, em consequência, também acabam sendo semimeditativas.

Nos anos 1980 e 1990, o conceito italiano de *dolce far niente*, traduzido como o "doce ato de não fazer nada", ocupou esse lugar. A expressão foi imortalizada na cultura brasileira pela voz de Rita Lee, em 1981, ao aparecer na letra da música "Banho de espuma" seguida por "sem culpa nenhuma", uma exaltação da atividade. Em 2006, Elizabeth Gilbert publicou o best-seller *Comer, rezar, amar*, em que a protagonista experimenta pela primeira vez a alegria de não fazer nada, algo raro para quem vem de uma cultura ultrafocada no trabalho, como a dos Estados Unidos e a do Brasil.

"Estamos acelerando os processos de uma maneira bizarra, essa corrida não tem fim e a linha de chegada é o burnout. Se você fez tudo isso e não descansou, você acabou esgotada. É muito nocivo, e as redes podem colocar esse comportamento como normal e aspiracional, é a meritocracia bombando."

Muito antes disso, no século XIX, o substantivo francês *flâneur* descrevia o arquétipo de quem vive de forma um pouco errante, caminhando e observando, personificado pelo poeta Charles Baudelaire. A base desse conceito é do século XVI, com o teor de gastar o tempo sem fazer nada.

A seguir estão algumas boas alternativas a considerar quando você pensar "hoje eu fui inútil":

- Eu descansei.
- Eu precisava de um tempo para mim.
- Meu sono estava mesmo atrasado, que bom que eu cochilei.
- Estarei melhor para mim e para os outros na próxima semana.
- Eu escolhi não fazer planos, e esse foi o melhor plano.

A verdade é que nossa incapacidade de ficar em silêncio está diretamente relacionada a uma dificuldade geral de dormir. Eu mesma muitas vezes preciso de algo que me distraia a ponto de só apagar depois que sentir meu olho piscando pesado. Alguns especialistas nomearam isso de "procrastinação vingativa na hora de dormir", a razão psicológica pela qual tantas de nós ficamos acordadas até tarde mesmo estando exaustas. Normalmente, é em resposta ao dia corrido que tivemos, sacrificando-se o sono para liberar tempo para atividades recreativas (leia-se: passar horas em redes sociais). Como eu mesma diria: "O meu eu diurno que lute, porque hoje meu eu noturno vai longe". Se você esperava um parágrafo com conselhos sobre como vencer essa procrastinação, sugiro que escreva nas margens do livro, porque eu, definitivamente, ainda estou apenas tentando.

Se ao menos o culto à produtividade fosse ambientado apenas na vida profissional, estaríamos menos exaustos. Mas o nosso antigo tempo "livre" foi destruído pela ideia de que precisamos nos aperfeiçoar sem parar. Durante a quarentena de covid-19, houve até quem cometeu a violência de nos lembrar que Shakespeare escreveu *Rei*

Lear durante a peste bubônica. Então, não bastaria sobreviver a uma crise sanitária global, era preciso também sair dela profissional de cerâmica, com francês avançado e pronta para abrir uma panificadora.

Foi nesse contexto que convidei a escritora e terapeuta especializada em mindfulness e eutonia Andréa Perdigão, cuja voz você pode ouvir nas meditações guiadas do aplicativo Calm, para o episódio #41 do *Bom Dia, Obvious*, "Estar presente é um presente". Nele, discutimos sobre o medo que nos habita de enfrentar o silêncio.

"O silêncio virou um inimigo a ser evitado a qualquer custo. É uma pergunta para as pessoas fazerem a si mesmas: Por que eu tenho medo do silêncio? O que ele me revela? Por que preciso trazer vários assuntos para que não apareça? Acho que o silêncio é a gente mesmo, ele é só para você com você. Por que é tão difícil ficar com você e ver o que aparece?", ela questionou, apontando que quem atravessa esse medo pode ter revelações incríveis. "As experiências ordinárias são oportunidades para a meditação. Não existe uma separação clara entre sentar e meditar, a vida é uma meditação. Escutar de verdade o que o outro fala. Quantas vezes não escutamos o outro por causa de tanta coisa que temos na nossa cabeça? É um exercício de mindfulness focar no que a pessoa está falando, escutar e ver o que reverbera em você, e depois pensar no que vai dizer para ela. Mindfulness entra em todas as atitudes da sua vida, no banho, sentir a água quente descer pelo seu corpo, tocando a sua pele e depois sentir a toalha, tudo é uma experiência sensorial."

Já que a meditação como a conhecemos me parecia uma tortura, coloquei em prática os aprendizados com a Andrea quando comecei a escrever regularmente três páginas matinais. Nas primeiras páginas do dia, sai o excesso. Reclamo da vida, coloco no papel as preocupações, escuto-me um tanto. É a minha meditação ativa, minha drenagem mental. Assim, quando vou escrever o que vai valer para o resto do dia, já sou outra. Um belo papel acompanhado de caneta virou, inclusive, uma dupla crucial no meu processo de saúde mental. Junto com chapar de endorfina, o poder de abandonar um tanto de mim em um caderno me deixa infinitamente mais leve.

> "O silêncio é a gente mesmo,
> ele é só para você com você.
> Por que é tão difícil ficar com
> você e ver o que aparece?"

PARTE 2

Mulheres difíceis

"Em diversas culturas, meninas são criadas para tolerar dificuldades desnecessárias que estão conectadas ao senso de valor próprio delas. Como resultado, elas crescem acreditando que, como mulheres, nosso potencial de ser amada é equivalente à nossa capacidade de se sacrificar e de se colocar em segundo plano. [...] Torna-se difícil para elas parar e dizer 'espere um pouco, por que eu também não posso ser uma pessoa com vontades, necessidades e limites?'. Obviamente, ser generosa é uma coisa adorável e o amor pode até envolver um certo nível de sacrifício, mas é triste a ideia de que para muitas mulheres isso é tudo que ele é. Em quase todas as culturas as mulheres são valorizadas pelo seu nível de entrega, de se colocar em segundo plano: 'nossa, ela sacrificou tudo pelos filhos e pelo marido, é uma excelente mãe e esposa'. Na Nigéria, as pessoas dizem que, quando você se casa, significa que você tem outro filho, porque seu marido é, na realidade, seu filho."

Chimamanda Ngozi Adichie, no podcast
How to Fail with Elizabeth Day

O trabalho invisível das mulheres

Cuidar, socorrer, pacificar, ouvir, sorrir, fazer a gestão do cotidiano, certificar-se de que todos ao nosso redor estão bem. Fazer a lista de compras, saber de cor o que cada um gosta de comer, agradar. Estas são algumas das tarefas frequentemente assumidas com exclusividade pelas mulheres nos contextos familiar, conjugal e profissional.

Nós simplesmente somos melhores em lembrar que o papel higiênico está prestes a acabar, mas não só em perceber a necessidade. Obrigar nossos familiares e parceiros a ir ao médico e acompanhá-los fazem parte das nossas grandes realizações de vida. É de um prazer inenarrável gerenciar as nossas emoções e a dos ambientes que frequentamos, sejam eles pessoais ou profissionais. O medo do cancelamento e a indicação da minha editora obrigam-me a pontuar que as afirmações acima não passam de ironias. Seguimos.

"Trabalho emocional" é uma expressão que pode ter sido popularizada em 2020, mas o conceito foi criado nos anos 1980 pela socióloga Arlie Hochschild, no livro *The Managed Heart* [Coração controlado]. Em sua pesquisa, Hochschild fala sobre como, em trabalhos específicos, há a expectativa de que os profissionais modulem seus sentimentos reais, privilegiando a experiência positiva de clientes ou colegas ao serem sempre agradáveis, gentis, prestativos e tolerantes, colaborando, assim, para a harmonia do ambiente de trabalho. O trabalho emocional faz parte da função de homens e mulheres, são atitudes que "azeitam as engrenagens" de um ambiente profissional para que todos cooperem para um clima de harmonia.

Os comissários de bordo foram o principal exemplo da obra de Hochschild, já que precisam atender às necessidades dos passageiros sempre com um sorriso no rosto, não importa quão exaustos estejam, ou até com ódio do homem sem noção que acha que, porque pagou por um assento melhor, pode agir como um animal.

No artigo "Women's Jobs, Men's Jobs: Sex Segregation and Emotional Labor", de 2004, Mary Ellen Guy e Meredith Newman ampliaram essa discussão trazendo o recorte de gênero, uma vez que trabalho emocional está muito presente em profissões historicamente atribuídas a mulheres. As pesquisadoras argumentam que o trabalho emocional contribui para o aprofundamento da desigualdade salarial, pois, por mais exaustivo que seja suprimir diariamente nossas verdadeiras emoções, é raro ser reconhecido como uma função legítima e não se reflete nos salários e cargos. É comum sermos mais cobradas quando comparadas a colegas homens em relação a gentileza, bom humor e disponibilidade emocional, mas essas competências estão ausentes em descrições de empregos, avaliações e, especialmente, no cálculo de remuneração.

Na publicidade, por exemplo, a divisão de cargos por gênero, em muitas agências, ainda segue o racional do mercado dos anos 1960. Mulheres ficam no atendimento, função que exige muito mais trabalho emocional por fazer a intermediação entre cliente e agência. Elas precisam ser mediadoras, e quase embaixadoras, da harmonia da relação comercial, ser charmosas (mas nem tanto!), além de sempre pacientes e tolerantes com os caprichos de ambos os lados. Aqui é essencial pontuar: na grande maioria, nesta sociedade de racismo estrutural, são mulheres brancas.

Nos cargos de criação, por sua vez, especialmente os de liderança, há homens brancos cis héteros que, de uma maneira simplista, podem apenas colocar toda a sua suposta genialidade para fora sem se preocupar em soar arrogantes, rabugentos ou prepotentes — e sem se atentarem também a quem vai executar muitas dessas ideias mirabolantes. Sem contar, claro, a carga mental extra sobre aparência física: os homens da criação têm total permissão para se vestir como se estivessem indo a um bar com os amigos, já as mulheres do atendimento são sempre cobradas a performar um estereótipo de feminilidade, pois estão em contato com clientes. Não em toda agência, mas são tantas agências...

Um dos meus trechos favoritos do romance *Primeiro eu tive que morrer*, da Lorena Portela, é quando ela descreve o chefe publicitário da protagonista. Vamos ver se você também conhece esse cara: "Um cara muito menos competente do que achava que era. Muito menos talentoso do que pensava. Mas que se vendia bem, e isso conta bastante num mercado cujo propósito é fazer com que as pessoas comprem mentiras e se satisfaçam com elas. Ele era o sanduíche que você recebe daquela rede de fast-food que é tão diferente da foto. O vestido que você recebeu do site da China, comparado à imagem que a fez confirmar a compra. Ele também era DJ e popular nas redes sociais. Elogios como 'foda, gênio' eram numerosos nos comentários de suas fotos. 'Gênio', a descrição dada a Einstein ou Saramago, era distribuída sem economia ao meu diretor de criação. O rei da tiradinha. Os elogios, muitos, vinham de mulheres, sim. Mas provavelmente dos amigos homens, os brothers. É curioso observar que os homens são econômicos ao elogiar mulheres pelas quais eles não têm interesse sexual. [...] Mas os homens não perdem tempo em lamber e alimentar o já grande ego uns dos outros nas redes sociais".

Quando pensamos em nossa casa como uma empresa, podemos visualizar que existem diferentes setores: comida, limpeza, educação, roupa, organização. Quem está dirigindo e coordenando cada um deles? Estou falando sobre fazer a gestão, realizar a estratégia e o planejamento, e prever quando as coisas vão faltar ou estão fora de ordem, não apenas em fazer uma entrega (atrasada) dentro de um projeto.

Algumas pesquisas mais recentes provam, inclusive, que dividir as tarefas domésticas faz parte das preliminares para o sexo. A dra. Sharon Sassler, professora da Universidade Cornell nos Estados Unidos, em pesquisa sobre frequência sexual e satisfação em relacionamentos longos heterossexuais, concluiu que "os casais que têm uma divisão igualitária são os únicos que tiveram um aumento da frequência sexual". Ela conta que eles tiveram quase 20% mais sexo no período entre 1992 e 2006, anos em que o estudo foi realizado. Quer um sexo oral digno de aplausos? Lave a própria louça.

No episódio #38 do *Bom dia, Obvious*, conversei com a psicanalista, professora e escritora Maria Homem sobre "O trabalho invisível das mulheres". Ele foi ao ar em abril de 2020, ao completarmos um mês de quarentena por conta da pandemia de covid-19, quando acompanhei grande parte das mulheres ao meu redor conviverem não só com o medo iminente da morte em um momento em que sabíamos tão pouco sobre o vírus (lembra que a indicação era só usar máscara se tivesse sintomas???), mas também com parceiros que mal sabiam onde ficavam os talheres dentro de casa. Se antes as relações eram sustentadas por períodos de convivência entre manhã, noite e finais de semana, a obrigação de ficar em casa tornou esse trabalho não tão invisível assim.

Maria Homem diz que "o lugar de autoridade está, há muito tempo, mais atrelado ao lado masculino, mas estamos, gradualmente, quebrando isso, e será irreversível. Todos temos o desejo de cozinhar, trabalhar, pintar, projetar, construir. A própria forma de vida que inventamos, economicamente falando, é assexual. Quem está diante de um computador não precisa ser um homem ou uma mulher, quem lê um livro, quem pensa, discute, escreve não tem a ver com gênero". Ela completa lembrando que "fazer toda essa orquestração, mesmo que o outro não veja, é também um trabalho. Inclusive o corpo, que está jovem, bonito, sarado, que precisa de trabalho e de passar horas no cuidado de si, também é um imenso trabalho. Isso é um outro tópico da carga mental, é você se fazer um objeto desejado continuamente".

A dupla jornada de trabalho adquirida pelas mulheres nos últimos anos é silenciosa, mesmo tendo um papel fundamental na economia. Isso porque a sociedade ainda não remunera nem valoriza o trabalho doméstico. Para se ter uma ideia, em 2020, estimou-se que mulheres têm vinte horas a mais de trabalho semanal em comparação com os homens quando consideramos os "trabalhos invisíveis". Esse tempo equivale a aceitar um emprego de meio período quando já se trabalha quarenta horas semanais.

Em janeiro de 2020, a Oxfam Brasil estimou que meninas e mulheres ao redor do mundo trabalham 12,5 bilhões de horas todos os dias gratuitamente realizando tarefas domésticas na sua própria casa. A organização calculou que esse trabalho gera 10,8 trilhões de dólares à economia mundial, um valor três vezes maior do que o setor de tecnologia global, e em reais chega a 50 trilhões.

A insistência em traduzir em números tanto a quantidade de horas quanto a de reais, e até traçar o paralelo com grandes indústrias, vem do nosso desespero para que, enfim, o trabalho doméstico seja reconhecido como o próprio nome diz: um trabalho. Além disso, para que jamais uma mulher que cuida de um parente doente, dos filhos e faz todo o trabalho doméstico tenha que ouvir com desdém: "Ah, ela não trabalha, só cuida da casa".

Outra crença mentirosa que se tornou quase uma verdade absoluta é sobre as mulheres terem mais capacidade de efetuar diversas tarefas ao mesmo tempo. Um estudo realizado pela PLOS

One em 2019 desmentiu: foram testadas as habilidades de quarenta e oito homens e quarenta e oito mulheres em realizar tarefas únicas e simultâneas. Ao final do estudo, comprovou-se que nenhum dos grupos é capaz de fazer muitas coisas ao mesmo tempo, sem diferença de performance entre os gêneros. Jules de Faria, criadora da Think Olga, refletiu sobre a carga mental feminina em um áudio enviado para o episódio #5 do *Bom dia, Obvious*, "Clube das exaustas".

"A carga mental é essa entrega em nível psicológico. Uma coisa é o homem pegar as compras do carro e botar na geladeira. Outra é a mulher que precisa saber que a comida está acabando, escrever a lista do que precisa ser comprado já pensando nas receitas que serão feitas para o almoço e o jantar, e aí preparar todas as refeições", ela esclarece. E completa: "A carga mental é exaustiva e acaba caindo nas mulheres, que precisam ter a antena ligada sobre o que acontece ao redor enquanto muitas vezes o homem se coloca nessa posição de 'me peça se precisar de algo'. Só que, para poder requisitá-lo, já é preciso criar uma estratégia e planejamento, que volta a cair sobre a mulher".

A hipervalorização das migalhas de colaboração também se tornou o álibi perfeito para os homens entregarem o mínimo e partirem para uma atividade mais divertida e de interesse próprio. É a construção da ideia do "homão da porra" para o pai que sai com a filha a cada dois finais de semana e posta pra caramba nas redes sociais; do ideal Rodrigo Hilbert de que um homem que realiza algumas atividades domésticas já se torna um super-homem; e, claro, de que você tem sorte caso o cara a "ajude" a cuidar da casa ou do filho que, veja bem, também são dele.

No episódio #45 do podcast, o tema era "Responsabilidade afetiva", mas falar sobre relacionamentos heterossexuais sem citar a carga mental feminina pareceu inevitável. A ginecologista natural Maria Chantal deu sua visão sobre o assunto ao lembrar que homens foram acostumados a ver mulheres como uma segunda mãe, ou uma substituta dela.

"A carga mental é exaustiva e acaba caindo nas mulheres, que precisam ter a antena ligada sobre o que acontece ao redor enquanto muitas vezes o homem se coloca nessa posição de 'me peça se precisar de algo'. Só que, para poder requisitá-lo, já é preciso criar uma estratégia e planejamento, que volta a cair sobre a mulher."

"Em alguns relacionamentos, é exigido que a mulher saiba lavar, passar, cozinhar porque ele não vai ter a mãe para fazer isso para ele. Precisamos parar de sobrecarregar as mulheres com tanta demanda. Não basta a vida delas, elas ainda têm que cuidar, amar e ser mãe desses caras que não amadureceram o suficiente para fazer por si mesmos. Quando você passa a se dedicar mais aos projetos dele do que aos seus, você começa a fazer as coisas acontecerem por ele e facilita as coisas para ele. Em detrimento disso, passa a não ter mais tempo para as suas próprias coisas, é uma preocupação integral. Você gerencia a vida dessa pessoa", disse ela.

Maria diz ainda que quase não se leva em consideração a energia que é gasta fazendo a manutenção das nossas aparências. Eu penso frequentemente nisso quando participo de algum evento em que estou em um painel com homens. Eu, e as outras mulheres presentes, estamos todas de cabelo bonito, roupa pensada, maquiagem, e por aí vai. Já os homens, geralmente, tomaram um banho e chegaram lá em vinte minutos.

Segundo dados do IBGE de 2018, enquanto 35,4% das mulheres entre 15 e 29 anos disseram que não buscam emprego por ter a obrigação de cuidar da casa, apenas 1,3% dos homens adolescentes e adultos declararam a mesma razão. Sobre não retomar os estudos, 39,5% das mulheres entre 18 e 29 anos que não concluíram o ensino médio indicaram as tarefas domésticas e de cuidado como o principal motivo, contra 0,9% dos homens. Por sua vez, 52,5% dos homens disseram que a razão para não voltar à escola é trabalhar fora de casa ou buscar trabalho, contra 23,2% das mulheres.

É inviável tocar nesse assunto como um todo sem levar em consideração o abismo no recorte racial e social. Apesar de a diferença de gênero ser o que mais pesa na disparidade dos números de horas dedicadas à casa, muito maior para as mulheres do que para homens em todas as faixas de instrução e renda, estudos demográficos destacam que o tempo que elas dedicam ao trabalho doméstico e de cuidado pode variar de acordo com fatores como número de filhos, idade, instrução e renda. Em geral, quanto maior a renda, menor a carga de trabalho doméstico.

Ao retratarmos a divisão doméstica no Brasil, evidenciamos não só a desigualdade de gênero no país, mas também de classe e raça. É necessário olhar de forma interseccional para esse problema, especialmente para realizar um panorama completo e formular políticas inclusivas de modo a garantir melhores condições de trabalho a essas mulheres. É importante refletir e evidenciar que as dificuldades e as sobrecargas não são as mesmas entre elas. Mulheres negras, brancas, periféricas, da classe média, dos centros urbanos e rurais se deparam com essa jornada dupla invisível de formas bem diferentes.

A prateleira do amor

Conheci o trabalho da pesquisadora na área de Saúde Mental e Gênero e professora do Departamento de Psicologia Clínica na Universidade de Brasília Valeska Zanello quando estava com conhecidas em uma festa. A pauta era a especulação de que uma modelo muito bonita, que acabava de ter um bebê, teria sido traída. Os comentários, de forma geral, repetiam a mesma lógica: se até ela passa por isso, o que será de nós? Comentei que aquele raciocínio não fazia sentido: não é porque ela tem uma beleza dentro do padrão estético atual que estaria blindada dessa sociedade machista, em que os homens têm muito mais escolhas do que nós.

Uma amiga que buscava uma bebida me ouviu de longe e, ao se aproximar, comentou: "Você citou a prateleira do amor, né?". Infelizmente, eu não sabia do que ela estava falando, mas no dia seguinte logo cedo maratonei os vídeos de Valeska com certa ansiedade para entrevistá-la o quanto antes. Ficou claro, para mim, que as ouvintes se beneficiariam muito ao ouvir sobre suas pesquisas, e eu estava certa: o episódio #152, "A prateleira do amor", nos levou ao topo do ranking de podcasts mais ouvidos no Brasil.

Aqui peço licença às leitoras que amam mulheres, já que os próximos parágrafos terão como foco as relações heterossexuais.

No episódio que vou citar, falamos sobre lésbicas, e Valeska disse que, em pesquisa, verificou que as relações entre mulheres, apesar de não estarem totalmente livres dos dispositivos amorosos, são bem mais simétricas.

A prateleira do amor é uma metáfora que Zanello criou para exemplificar a forma como aprendemos a amar sendo mulher no Brasil. Ao entrar em um supermercado, repare nas prateleiras: logo acima, ao fácil alcance de nossas mãos, estão os produtos mais desejados. Na mesma proporção de querer, a cada fileira para baixo estão aqueles que precisamos nos esforçar para alcançar. Se as mulheres são os produtos e os supermercados, as relações amorosas, quais delas ocupam os andares superiores? Não é difícil de acertar: envolve padrão estético, machismo, etarismo e o que mais a sociedade usa de violência para nos domar, acreditando que devemos ser escolhidas, e não escolher.

"Gênero é sempre uma relação que é interacional. Se você é uma mulher negra, indígena, gorda ou com deficiência, mais baixa será sua posição. É preciso desconstruir a ideia de que somos mercadorias expostas em uma prateleira onde o homem escolhe em que momento (e se) seremos dignas de ser levadas para casa", afirmou Valeska no episódio.

Como nas posições mais altas da prateleira estão as mulheres brancas, loiras, magras e jovens, lembro-me das lágrimas nos olhos de uma amiga negra ao contar que ela nunca teve muita chance de escolher com quem ficar e sofre desde muito nova com a sensação de que está fadada a ser escolhida. Uma vez selecionada, sempre vive a tensão de não saber se será apresentada à família do rapaz, já que tantas vezes as relações eram um segredo escondido no quarto.

Quanto mais baixa é a posição na prateleira, maior a hiperobjetificação sexual, em grande parte porque a pedagogia afetiva do tornar-se homem, em nosso país, acontece através da pornografia. "Eles aprendem que o que valida a masculinidade é a capacidade de objetificação", diz Valeska, "então, se mesmo um cara

"Gênero é sempre uma relação que é interacional. Se você é uma mulher negra, indígena, gorda ou com deficiência, mais baixa será sua posição. É preciso desconstruir a ideia de que somos mercadorias expostas em uma prateleira onde o homem escolhe em que momento (e se) seremos dignas de ser levadas para casa."

que afirma ser desconstruído estiver em um grupo de homens e uma mulher passar e todos comentarem sobre a bunda dela, ele vai concordar dizendo que é gostosa. Essa carteirinha do pertencimento masculino é profundamente violenta." Ela explica que a pedagogia afetiva é uma *tecnologia de gênero*, conceito criado pela autora Teresa de Lauretis, segundo o qual existem produtos culturais que não apenas retratam essas diferenças de valores ideais de gênero, mas possuem o caráter de ensinar, por isso são chamados de pedagogias.

Apesar de não acreditar no binarismo como essência, Valeska reconhece que existe uma construção cultural do binarismo e afirma que precisamos entender como ele funciona, até para criar meios para combatê-lo, já que temos pedagogias afetivas diferentes para homens e mulheres da nossa sociedade. Uma de suas frases mais famosas é: "Os homens aprendem a amar muitas coisas, as mulheres aprendem a amar os homens". Segundo ela, isso faz parte das pedagogias que nos ensinam a amar de forma identitária, ou seja, a construção da identidade feminina é mediada pelo olhar de um homem que as "escolha", o que é reconhecido como legitimação do nosso valor na sociedade. Somos socializadas para encontrar, em uma relação romântica, nossa fonte única de realização.

A psicóloga e escritora Margaret Paul, autora de livros como *Vínculo interior: tornando-se um adulto amoroso para sua criança interior*, diz que a paixão pode vir de estados internos diferentes, e um deles é se apaixonar através do nosso eu egoico. Isso não tem a ver com a pessoa que você ama, mas com a maneira como aquela pessoa a ama, a forma como aquilo preenche o seu ego. Acabamos, assim, por transferir para o outro a responsabilidade por nossa autoestima e bem-estar. Como colocou muito bem bell hooks no livro *O feminismo é pra todo mundo*: "Se alguma mulher sente que precisa de algo além de si mesma para legitimar e validar sua existência, ela já está abrindo mão de seu poder de autodefinição".

Acho bonito quando ela fala sobre a necessidade de politizar o sofrimento, já que existe algo estrutural que ultrapassa a todas nós.

Não é coincidência todas estarmos com dores amorosas similares. Quando amamos de forma identitária, nossa autoestima é terceirizada de acordo com quanto somos desejadas. Mesmo que a gente se sinta bem consigo mesma, se não existe um contatinho ou um relacionamento em nossa vida, questionamo-nos sobre o que há de errado conosco, o que nos deixa extremamente vulneráveis.

O exemplo que Valeska traz em seu livro *Saúde mental, gênero e dispositivos: cultura e processos de subjetivação*, sobre a pedagogia afetiva feminina, é o filme *A pequena sereia*, em que aquela jovem feliz do fundo do mar se torna completamente abestalhada quando se apaixona, o que é narrado como uma história de amor, e barganha com Úrsula para ter o corpo de uma mulher. O que ela perderia? Sua voz. Ela, então, pergunta como conquistaria um homem em total silêncio, e a bruxa responde: "Para que voz se você tem quadris?". Pode parecer um exemplo bobo, mas há aqui duas pedagogias-chave para as mulheres.

"Primeiro, que a coisa mais importante da nossa vida como mulher é ter um homem. Segundo, que, se você quiser ter e manter um homem, você tem que aprender a calar sua boca. Não à toa as mulheres, com o tempo, implodem psiquicamente; aprendemos desde novas a nos calar para manter o bem-estar dos outros e das relações", diz Valeska.

A luta pela sobrevivência social e pelo encontro de afeto nesse contexto faz muitas se sentirem obrigadas a representar a mulher "de boa", aquela que não fala sobre seus verdadeiros desejos, que dificilmente expressa sentimentos, que está realmente "de boa" com as situações, mesmo que ultrapassem seus limites. Assim nascem relações totalmente assimétricas em que, nas palavras da Valeska, "a mulher dá mil enquanto o homem dá dez", mas também um jogo totalmente injusto entre solteiros em que a irresponsabilidade afetiva por parte dos homens rola solta enquanto as mulheres colecionam traumas emocionais.

Essa assimetria me lembra, inclusive, uma matéria hilária da revista *The Atlantic* em que se contou que, durante décadas, foi perguntado a pessoas de ambos os sexos o que procuravam em parceiros de longa data, e a resposta era unânime: "que tenha senso de humor". Só recentemente a pergunta foi aprofundada, questionando o que isso significa para ambos os gêneros. Você está pronta para dar risada? Pois bem: as mulheres querem homens que as façam rir; os homens querem mulheres que riam de suas piadas.

Voltando à prateleira, para uma ser escolhida, outras precisam ser rejeitadas, correto? Essa ideia patética de que os homens são um objeto de desejo a ser disputado com unhas e dentes foi enraizada em nossas mentes por 90% das novelas, 27 temporadas de *Malhação* e outras obras de ficção. É daí que tiramos aquele ódio gratuito à atual do seu ex-namorado, ou até à ex-namorada do seu atual, e também a ideia de que qualquer mulher está pronta para "roubar" seu homem. Os únicos vencedores dessa disputa sem razão são eles mesmos.

Estar com uma mulher bem localizada na prateleira é uma chancela de sucesso na masculinidade, mas não significa que a escolhida receberá afeto nessa relação; muitas vezes, elas se sentirão mais sozinhas do que as que estão solteiras. Sabe aquela história de homens que falam que a companheira é meio chata, reviram o olho quando ela fala à mesa e por aí vai? Muito provavelmente, na vida social dele só existem outros homens, e para ele mulheres são feitas para transar. O que ele gosta mesmo é de estar cercado por iguais.

Ainda no episódio #152, citamos uma pesquisa recente que indica que mulheres casadas têm a saúde mental mais prejudicada do que as que são solteiras, enquanto com os homens ocorre o oposto: os que são casados possuem melhor saúde mental. Não sei qual faixa etária foi tratada na pesquisa, mas, conversando com mulheres com mais de cinquenta anos que estão solteiras, a reclamação é sempre a mesma: os homens da mesma idade buscam por alguém que cuide deles, não uma parceria de verdade. Mais uma vez, Valeska tem uma teoria para isso: "O dispositivo amoroso é uma *almofada psíquica* para os homens. Geralmente os solteiros, viúvos ou separados têm mais transtornos mentais, como depressão. Em pesquisa, vemos que uma companheira é fator de proteção, porque ela cuida, larga o que for para cuidar daquele homem, só que não é recíproco".

Dois dados muito tristes, mas importantes de serem citados aqui: primeiro, uma pesquisa feita pela CBN, em 2019, mostra que mais de 70% das mulheres com câncer de mama são abandonadas pelos maridos. Segundo, no livro *Prisioneiras*, Dráuzio Varella observa como, enquanto nos dias de visita das cadeias masculinas temos filas de mulheres aguardando para ver seus parceiros, nas penitenciárias femininas as detentas chegam a passar anos sem receber uma visita sequer do parceiro, que muito provavelmente já encontrou um novo par.

É preciso educação e letramento de gênero para destruir a ideia de que a mulher que está solteira sofre de solidão. Muito pelo contrário: se conseguirmos demolir a rivalidade entre nós e nos nutrir afetivamente de nossas amizades com outras mulheres, saberemos diferenciar migalhas de afeto das demonstrações genuínas de amor. Como diz Valeska: "É importante colocar energia e amor nas relações com outras mulheres, mãe, amigas… porque no final, quando o bicho pega, geralmente quem está do nosso lado são outras mulheres".

"É importante colocar energia e amor nas relações com outras mulheres, mãe, amigas... porque no final, quando o bicho pega, geralmente quem está do nosso lado são outras mulheres."

Fofoca e desunião feminina

Duas semanas depois do episódio com a Valeska, eu estava em um aniversário de uma amiga, e sua sobrinha Melina, também conhecida como Memel, passou a falar sobre as amiguinhas da escola nova. Comecei a perguntar mais sobre elas, com minha curiosidade que é, talvez, uma das minhas características mais fortes. Fui para casa refletindo sobre o que define em uma idade tão jovem quanto quatro anos quem serão nossos aliados.

Se você já sabe que essa curiosidade virou tema de podcast é porque está lendo este livro com atenção. Conversei com a psicanalista Maria Homem sobre as amizades e o papel delas na nossa formação como indivíduos e, maravilhada com tamanha inteligência, o tempo da gravação estourou antes que eu entrasse nos tópicos que vou tratar a seguir.

O primeiro deles se conecta diretamente à fala final de Valeska no episódio, sobre a necessidade de termos aliadas mulheres. Engraçado ela falar sobre isso quando tudo que nos foi ensinado em diferentes obras de ficção é que as mulheres vivem uma constante competição, às vezes por questões de aparência, mas, em geral, pela atenção de um homem — fato comprovado por uma década de temporadas da novela *Malhação*, em que só mudavam os atores, mas a trama permanecia a mesma: duas mulheres maravilhosas se odiando na luta por serem escolhidas por um homem meio murcho.

Acontece que a desunião feminina foi articulada muito antes de existirem telas, e foi estudando para o episódio que trombei com a história da fofoca. Em seu livro *Mulheres e caça às bruxas*, a professora e ativista Silvia Federici diz que "narrar a história das palavras que são frequentemente usadas para definir e degradar as mulheres é um passo necessário para compreender como a opressão de gênero funciona e se reproduz". Ela, então, complementa com a história do termo *gossip*, fofoca em inglês, que, segundo ela, é emblemática para entendermos dois séculos de ataques contra as mulheres no nascimento da Inglaterra moderna.

Hoje sinônimo de algo fútil e de natureza feminina, *gossip* é formado pela junção de duas palavras: *God* (Deus) e *sibb* (aparentado), e no sentido original significava *godparent* (padrinho ou madrinha). Com o tempo, o termo passou a ter sentido mais amplo e, segundo Ferdeci, passou a se referir "às companhias no momento do parto, não se limitando à parteira. Também se tornou um termo para amigas mulheres [...] com fortes conotações emocionais [...], usado com frequência para denominar os laços que uniam as mulheres na sociedade inglesa pré-moderna".

Só que poucas coisas são mais assustadoras para o patriarcado do que a união feminina, e, como conta Federici, em 1547 foi emitida uma proclamação "proibindo as mulheres de se reunirem para balbuciar e conversar", ordenando aos maridos que "mantivessem suas esposas em suas casas". Foi então que as amizades femininas se tornaram um dos alvos da caça às bruxas, transformando uma palavra que era sinônimo de amizade e carinho em motivo para punição pública. As mulheres eram inclusive encorajadas, sob pena de tortura, a delatar amigas, irmãs, mães e filhas.

Para se ter uma ideia, e era o próprio marido quem aplicava a punição, que consistia em um tipo de freio de boca a ser usado pela mulher durante horas. Terrível e assustador, mas não consigo não me questionar: por que assustava tanto a ideia de que mulheres conversassem entre si?

Ao observarmos relacionamentos tóxicos nos tempos atuais, talvez uma das primeiras bandeiras vermelhas a serem levantadas é quando um dos membros do casal diz que não gosta das amigas da parceira. Isso nos leva a um isolamento e, consequentemente, à solidão: as dores e até as violências vividas na relação passam a habitar no silêncio, e a mulher fica sem aliadas a quem possa pedir ajuda.

Fofoca ser "coisa de mulher" foi uma perfeita articulação para tratar algo tão comum em ambos os gêneros: um estudo, do instituto de pesquisas Onepoll, mostrou que os homens passam mais tempo fazendo fofocas do que as mulheres, com a diferença de que as mulheres preferem fazer isso no ambiente doméstico, enquanto eles o fazem no ambiente de trabalho, o que provavelmente é considerado apenas networking.

O silêncio feminino se tornou tão interessante para a manutenção do patriarcado que até hoje perduram as ideias de que mulheres que falam demais são pouco elegantes e que uma mulher chique é aquela que fala pouco e, preferencialmente, baixo. Infelizmente, na nossa educação ficamos limitadas a explorar aquilo que vai cair no vestibular, quando deveríamos ler livros como *When God Was a Woman* [Quando Deus era mulher]. Em dado momento, Merlin Stone cita um trecho do Novo Testamento que me deixou de queixo caído:

"Pois o homem não é da mulher, mas a mulher é do homem. Que a mulher fique em silêncio nas igrejas, pois não é permitido a elas falar; são comandadas a prestar obediência, assim como diz a lei. E se aprenderem alguma coisa, que perguntem aos maridos em casa; pois é uma vergonha para a mulher falar na igreja". (I Coríntios 11:3,7,9)

Um estudo realizado pela Universidade da Califórnia com o objetivo de explorar as respostas biocomportamentais ao estresse em mulheres mostrou que, em momentos de tensão, mulheres produzem uma grande quantidade de ocitocina, conhecida como o "hormônio do amor", o que nos faz correr para o abraço das nossas amigas mais amadas.

Não que precisemos de dados científicos para mostrar isso, mas estudos mostram que as amizades femininas são peça-chave para o cuidado com a nossa saúde mental e podem ser, inclusive, o motivo pelo qual mulheres vivem mais que os homens. De acordo com uma pesquisa da Universidade da Califórnia, os laços emocionais existentes entre mulheres que são amigas verdadeiras e leais contribuem para uma redução dos riscos de doenças relacionadas à pressão arterial e ao colesterol. Segundo o estudo, "quanto mais amigas tem uma mulher, maior é a possibilidade de que chegue à velhice sem problemas físicos e levando uma vida plena e saudável".

Claro que é bem possível ser feliz sozinha, e acredito que a solitude seja um dos prazeres essenciais a serem conquistados na vida, mas desconstruir a ideia de que mulheres são inimigas na essência é entender a quem interessa que nossa desunião seja articulada e nossa felicidade programada a depender, em grande parte das vezes, da relação amorosa com um homem.

A cilada da mulher *boazinha*

O que diferencia a mulher que recebe o comentário: "Ela é tão boazinha" daquela que ouve diretamente ou pelas costas: "Nossa, ela é superdifícil"? Ser uma pessoa boa envolve generosidade, educação e compaixão, mas ser uma mulher *boazinha* parece entrar em um outro território, o do altruísmo quase compulsivo acompanhado de desejos constantes tanto de agradar quanto de trazer conforto para o outro — mesmo que isso signifique ignorar o seu.

Afinal, como não ser a amiga que está sempre disponível, a filha que está sempre disposta, a parceira que nunca nega ajuda? A recompensa vem ao ouvir que você é generosa, que está sempre por perto, que tem o melhor dos ombros. Caramba, como ela sabe se colocar no lugar dos outros! Caramba, parece que ela está realmente exausta.

Falando como alguém que possui como linguagem do amor atos de serviço, sei que estamos pisando em uma área cinzenta. Eu sinto um grande prazer em demonstrar meu amor pelas pessoas sendo útil para a vida delas. Por exemplo, ajudando na decoração da casa do meu amigo Luiz. A questão-chave, para mim, foi saber diferenciar quando isso vinha de um desejo genuíno meu das vezes em que eu sentia que não tinha feito nada além da minha obrigação, sendo que estava longe de ser o caso.

"Mulheres difíceis", o episódio #90 do *Bom dia, Obvious*, é um dos mais escutados do programa. Até hoje, mais de um ano após o lançamento, recebo mensagens contando o quanto escutá-lo foi libertador. Minha convidada foi a criadora de conteúdo Lela Brandão, cuja frase na bio do Instagram era: "Uma mulher confortável em si é uma revolução".

"A mulher boazinha é uma mulher que não impõe seus limites e talvez não os conheça. Podemos desmembrar em vários âmbitos das nossas vidas: emocionais, pessoais, de horário, do quanto você está disposta a se doar", disse ela. "Preciso primeiro suprir as minhas demandas e ser uma mulher boa demais para mim, e depois vou entender onde estou disposta a ceder para que eu atenda as pessoas e as instituições com as quais me importo e por que e para qual propósito esse ceder está acontecendo."

Frequentemente, somos lembradas de que se espera que tratemos o problema dos outros como maiores do que os nossos, tornando-nos esse SAC de questões que não nos pertencem. Também somos informadas, desde cedo, de que somos mais empáticas do que os homens, mais intuitivas e estamos sempre dispostas a ajudar. Isso, inclusive, é extremamente valorizado; afinal, nada como encontrar uma mulher que pensa mais em você do que nela mesma, não é? Nada é mais terrível do que ser considerada uma mulher difícil.

Sem dúvida, a empatia é uma das qualidades mais admiráveis e essenciais para as relações saudáveis. Porém, se cada uma de nós carrega uma mochila emocional, o problema do outro que tomamos como nosso ocupa espaço e, eventualmente, essa bagagem pode ultrapassar o limite permitido pelo corpo. Você sabe dizer qual é o seu? Será que já o ultrapassou? A empatia se torna cara quando você a sente por todo mundo, menos por você mesma.

Eu mesma demorei a realmente impor limites nas minhas relações, tanto amorosas como profissionais, por medo de ser considerada difícil de lidar. Enquanto para alguns homens a falta de tato pode até ganhar ares cômicos, o cara rabugento que "no fundo é um doce", as mulheres que ousam ser transparentes são descredibilizadas e malvistas devido à "personalidade forte demais". Será que as grandes vitoriosas são as que conseguem passar despercebidas?

O que entendi com o tempo é que tudo que eu aceitava tornava-se uma pequena faísca interna que, quando chegava ao limite, saía como uma explosão, e aí, sim, eu agia como uma mulher realmente difícil. Ao estabelecer meus limites, expressar minhas vontades e exigir respeito de forma gentil, não passei mais por esses momentos e me sinto infinitamente mais leve.

Lela passou por algo parecido: "No meu processo, comecei a entender que eu atendia demais às exigências dos outros por medo de que eles me abandonassem. Tinha essa ilusão de que, se eu começasse a impor mais limites e exigir o que eu preciso nos meus relacionamentos, as pessoas iam me abandonar. É uma questão de entender que todas as negativas que você disse foram sins para você mesma".

Acho importante entender que a maioria de nós faz isso de forma inconsciente porque nos traz a segurança, o prazer e o status que buscamos para sentir acolhimento, desejo natural do ser humano. Mas pode ser um reflexo de falta de autoestima e do medo de abandono, buscando a sempre falsa sensação de controle ao se sentir necessária em suas relações. Uma boa metáfora visual é a da malabarista de pratos. A mulher boazinha está sempre segurando os pratinhos que carregam os problemas e o bem-estar de quem ama. Experimente derrubar um deles para ver quem vem acolhê-la, quem está preparado para ver você não ser esse centro gravitacional dos problemas.

Expectativa: Agradar constantemente todo mundo + Deixar minhas necessidades em segundo plano = Todos felizes e relacionamentos muito saudáveis.

Realidade: Tentar constantemente agradar a todos ao redor = Perceber que é impossível agradar todo mundo ao mesmo tempo + Relacionamentos desproporcionais + Fadiga mental e emocional + Sentimento de que abandonou a si mesma.

A grande tristeza da boazinha é perceber que, mesmo sendo tudo o que achava que queriam que ela fosse, ela não agradou. Na dúvida, se existe o risco de não gostarem de você, melhor que seja enquanto faz algo em que você acredita.

Concordo com Glennon Doyle quando ela diz, em seu livro *Indomável*, que desconfiar de nós mesmas e até nos temer faz parte da nossa domesticação. Poucas vezes vi um homem questionar se ele estava enlouquecendo por pensar ou dizer algo, mas com certa frequência escuto de mulheres: "Será que estou louca por pensar isso?". Não, longe disso! Pode entrar, Glennon: "Eles nos convenceram a ter medo de nós mesmas. Portanto, não honramos nossos próprios corpos, curiosidade, fome, julgamento, experiência e ambição. Em vez disso, bloqueamos nosso verdadeiro eu. As mulheres que são melhores nesse ato de desaparecimento recebem os maiores elogios: ela é tão altruísta. Você pode imaginar? O epítome da feminilidade é perder-se completamente. Esse é o objetivo final de toda cultura patriarcal".

Cair nesse gatilho, porém, não é crime de uma única culpada: existe uma lógica social por trás dessa organização de papéis de gêneros. Quando pensamos em nosso papel como esposa ou namorada, normalmente em relações heterossexuais, um roteiro começa a ser escrito, englobando como precisamos nos vestir, nos portar, falar, ser, parecer. Existe um reforço positivo da sociedade a mulheres que se anulam: o prêmio de ser mulher para casar. Não é a primeira coisa falada sobre mulheres boazinhas? Quanto mais se anular pelo bem dos outros, mais digna será de ser amada. Do outro lado, temos as que sofrem a punição de "ficar pra titia", deixando implícito o fato de que a própria companhia nunca seria suficiente.

É irritantemente comum ver mulheres constantemente se esforçando para cuidar de si, enquanto o parceiro se permite dizer que não precisa ou até não acredita em ferramentas para cuidar de sua saúde mental, assistindo feito um espectador a uma relação se despedaçar aos poucos — como se fosse uma responsabilidade feminina sustentar esse trabalhão chamado se relacionar. É muito conveniente que exista uma construção cultural para dar aos homens uma desculpa para serem emocionalmente preguiçosos, tratando todo o trabalho emocional que colocamos na relação como uma aspiração provinda da nossa existência como mulher.

"Mulheres são muitas vezes menosprezadas por tentar ressuscitar esses homens e trazê-los de volta à vida e ao amor", pontua bell hooks. "Eles estão em um mundo que seria ainda mais alienado e violento se as mulheres carinhosas não fizessem o trabalho de ensinar os homens que perderam o contato consigo mesmos como amar novamente. Esse trabalho de amor só é inútil quando os homens em questão se recusam a despertar, recusam o crescimento. Nesse momento, é um gesto de amor-próprio que as mulheres quebrem seu compromisso e sigam em frente."

A exaustão feminina é uma pauta tão frequente e importante que foi o tema do *Bom dia, Obvious* #5, o já citado "Clube das exaustas". Nele, a arquiteta Stephanie Ribeiro comentou que, quando se sente cansada de verdade, para e pensa se não estaria fazendo coisas que não queria fazer, como assumir um lugar na relação que não deveria caber a ela. "Eu reflito individualmente, com uma profissional e com as pessoas que estão próximas a mim. Se você vai compartilhar a vida com alguém, essa pessoa também precisa cuidar dessas questões", disse.

Se esse formato de relação fosse um circo, nós seríamos as talentosíssimas equilibristas, que caminham em uma linha tênue para manter a paz sem aborrecer demais o parceiro, já que o fantasma da solidão mora logo ao lado. Existe essa estúpida e falsa ideia de que somos biologicamente mais capazes de expressar, gerenciar e dialogar sobre nossas emoções do que os homens. Obviamente, algumas pessoas têm essa habilidade mais desenvolvida, mas pressupor que seja algo naturalmente feminino é um grande erro. Para uma relação heterossexual funcionar, o homem precisa ter o mesmo nível de trabalho emocional.

    A administração de emoções é algo esperado tão cedo das mulheres que é comum se acomodar nessa função, que não está restrita a apenas uma esfera da nossa vida. Em uma viagem que fiz com um grupo de homens, em dado momento houve um grande conflito (eu amo viagem em grupo, é horrível), mas a fome falou mais alto e fomos jantar. Climão instaurado. Alguns dias depois, um dos homens que estava presente disse que percebeu que a coisa estava feia porque "a Marcela geralmente é quem pacifica momentos como esse, mas nem ela estava se esforçando". Um minuto de silêncio para todos os momentos em que coube a nós resolver um climão que não começamos.

    Recentemente, vi em uma pesquisa (mentira, foi no TikTok) que o pior *rebranding* já feito em nossa sociedade foi descatalogar *raiva* como uma emoção. Os homens podem nos chamar de sensíveis demais quando choramos em meio a uma briga, mas eles saem como fortões quando dão um soco no armário porque o Palmeiras perdeu um gol. Essa mesma raiva, quando sentida pelas mulheres, é automaticamente catalogada como desequilíbrio. Engolir sentimentos pode transformá-los em ressentimentos que, quando mal resolvidos, se tornam culpa, raiva, projeção e, não poucas vezes, até doenças relacionadas ao estresse.

    Eu cresci sabendo que, ao menor sinal do meu olho lacrimejar, ouviria: "Ih, lá vem a manteiga derretida". Demorou, mas entendi que eu não sou sensível demais, eu apenas presto atenção no que os outros dizem, então microagressões não passam batido. Conhecendo meus limites, consigo enxergar a maldade em "piadas" de quem aproveita uma intimidade conquistada para me diminuir em público.

    Essa minimização dos nossos sentimentos me lembra o trecho de abertura de *Nós, mulheres*, obra da escritora e jornalista espanhola Rosa Montero, no qual ela salienta que "comprovou-se que no atendimento médico primário, diante dos mesmos sintomas,

"Existe essa estúpida e falsa ideia de que somos biologicamente mais capazes de expressar, gerenciar e dialogar sobre nossas emoções do que os homens. Obviamente, algumas pessoas têm essa habilidade mais desenvolvida, mas pressupor que seja algo naturalmente feminino é um grande erro. Para uma relação heterossexual funcionar, o homem precisa ter o mesmo nível de trabalho emocional."

prescreve-se às mulheres mais ansiolíticos e antidepressivos, ao passo que aos homens se oferecem mais exames diagnósticos. Isso ocorre também com a dor: são dados mais analgésicos aos homens (pois tomam como real seu sofrimento) e mais sedativos às mulheres (que consideram histéricas)".

Muitas mulheres, independentemente da profissão, adotam "meias-palavras" como forma de aplacar o receio de desagradar ou de soar grosseira. Pedir desculpas demais, uma modéstia desproporcional ao receber elogios e até um exagero na fofura de um e-mail que carrega notícias não tão boas são algumas das muletas que muitas de nós usamos para soarmos mais suaves, menos agressivas e exigentes. Ou seja, um jeito de pedir licença para falar e pedir algo que um homem provavelmente diria de maneira clara e simples.

Como gestora de uma equipe quase 100% feminina, observo diariamente a cilada da mulher boazinha as sabotar no ambiente de trabalho. Vejo que muitas vezes aceitam mais demandas do que conseguem dar conta por medo de dizer "não", evitam pedir ajuda para que não achem que não são a pessoa certa para a vaga, tapam buracos de outros por medo de não parecer uma excelente colega de trabalho e passam muito mais tempo que o necessário relendo e-mails com receio de soarem grossas (eu também!).

Há, inclusive, um estudo da Universidade de Waterloo, no Canadá, que descobriu que "as mulheres têm um limite inferior para o que constitui comportamento ofensivo, por isso são mais propensas a ver necessidade de um pedido de desculpas em situações cotidianas. Ser vista como rude ou grossa é tão repugnante para as mulheres que precisamos nos tornar menos intrusivas antes mesmo de falarmos".

Saber pedir desculpas é algo bonito, a capacidade de refletir pelo que fizemos e nos retratar com o outro. Mas, afinal, quando em nossa construção de identidade a culpa virou parte da nossa comunicação mais básica? Em um episódio ao vivo, o #87, com o título "Desculpa pedir tantas desculpas", conversei com a sempre generosa psicóloga Louise Madeira, apresentadora do podcast *New Me*, em busca de respostas. "O pedido de desculpas continuado realmente me convence da minha inferioridade. É a minha falta de liberdade de ser quem sou, de fazer o que faço do meu jeito. Acredito que seja pelo medo de ser descoberta por não estar fazendo bem-feito, mas muito porque a mulher está mais sob avaliação", ela explica. "São quatro camadas: primeiro, desculpe pelo que fiz. Segundo, desculpe porque errei, mas agora com um filtro de autocrítica absurdo. Terceiro, desculpe pelo que não fiz, para ter paz. Quarto, desculpe pelo que você fez comigo", completa.

Muitas vezes, pedimos desculpas porque internamente não achamos que merecemos ocupar alguns lugares, e a qualquer falha mínima poderíamos enfim ser desmascaradas e descartadas. Usamos o termo "desculpas" como uma expressão do nosso medo, servindo mais como um pedido de permissão do que de perdão.

Trazendo um momento Bela Gil para cá, uma ideia é trocar "desculpe" por "obrigada!". "Desculpe, posso só terminar de falar?" também pode ser: "Com licença, já lhe passo a palavra". "Desculpe desabafar" se torna "Obrigada por ouvir". Existe até uma extensão do Gmail chamada Just Not Sorry (algo como: não vou pedir desculpas), que avisa quando você escreve e-mails usando palavras que prejudicam sua mensagem. Por enquanto, infelizmente só em inglês.

Quando Marina Santa Helena chegou ao mundo dos podcasts com seu *Um milkshake chamado Wanda*, era tudo mato. Também havia poucas mulheres nas posições mais altas do Spotify, então não economizo palavras para dizer quanto a admiro e a tive como referência no início do meu programa. Além desse, ela apresenta *O*

estilo possível, e, como muitas de nós, tem momentos em que tem medo de dar negativas e ser percebida como grosseira.

No episódio #69 do *Bom dia, Obvious*, "Aprendendo a dizer não", ela comentou sobre como tudo é mais fácil quando se é homem, enquanto mulheres instantaneamente viram A Megera, uma pessoa mal-humorada. "Quando entrei no trabalho, eu era a única mulher, então ficava muito no lugar de: 'Como vou falar isso da melhor forma para não parecer à pessoa que estou sendo chata?'. Preciso construir toda uma narrativa para sustentar aquele 'não' tenho que escrever mais coisas nas entrelinhas", contou. "Acho que os caras, se falarem apenas 'não', tá tudo certo, não vai ser algo tão malvisto como se eu falasse, mas não é nem culpa de um cara, acho que é toda uma construção mesmo. Meninos são mais educados para desbravar o mundo, e meninas para serem exemplares, pelo menos antigamente. Então, acho que por isso a gente pede mais desculpa.".

Saber dizer não e não sofrer com isso é dizer sim para a nossa capacidade de estabelecer limites: a partir daqui, não vou. É também um momento crucial para não cairmos na cilada da mulher "sempre de boa". Afinal, as únicas pessoas que ficam incomodadas quando você estabelece limites são aquelas que se beneficiaram quando você não os tinha.

Quando você não está acostumada a se sentir segura, apresentar-se autoconfiante pode parecer arrogância. Quando não está acostumada a se posicionar, ser assertiva pode parecer agressividade. Quando não está acostumada a tratar suas necessidades como prioridades, colocar-se em primeiro lugar pode parecer egoísmo.

"Quando você não está acostumada a se sentir segura, apresentar-se autoconfiante pode parecer arrogância. Quando não está acostumada a se posicionar, ser assertiva pode parecer agressividade. Quando não está acostumada a tratar suas necessidades como prioridades, colocar-se em primeiro lugar pode parecer egoísmo."

Introvertidas altamente funcionais

Quando eu e Camila Fremder enfim nos conhecemos, já tínhamos a claquete de amigas em comum que tinham certeza de que iríamos nos adorar. Expectativas são sempre um risco, mas, neste caso, o perigo maior morava no que temos em comum: dificuldades com situações sociais. Como iríamos nos adorar se estávamos ambas em nossas casas adorando ficar sozinhas?

Caso você tenha dormido nos últimos anos e vindo parar neste livro sem conhecer o mundo dos podcasts, a Camila é redatora e apresentadora de dois dos programas mais famosos da podosfera: É nóia minha? e *Calcinha larga*. Além disso, ela já lançou dois livros, sendo um deles com a nossa melhor amiga em comum, Jana Rosa.

Se você é ouvinte do programa há mais tempo, sabe que o final (ou talvez início?) dessa história foi tão feliz que virou o clássico episódio #9, "Como ter uma vida social sendo antissocial?". Cento e dezenove episódios e belas doses de isolamento social depois, ela voltou ao programa para debatermos o que mudou de lá para cá. O monólogo inicial desse episódio merece, inclusive, ter sua versão impressa:

"Opa, opa! Tivemos um terrível engano por aqui: eu não sou uma pessoa extrovertida! Sou uma introvertida altamente funcional. Uso meu carisma e senso de humor como mecanismos de disfarce quando me sinto ansiosa em situações sociais, desviando a atenção de mim fazendo muitas perguntas e tornando o ambiente sobre o outro, até porque tenho um grande senso de responsabilidade pela felicidade de todos ao meu redor. Atenciosamente, uma introvertida altamente funcional. Se essa carta aberta poderia ser sua, você vai concordar comigo que parecer extrovertida, quando na verdade você é o extremo oposto, é viver cheia de noias. E se noia é a pauta, a convidada não poderia ser ninguém além dela".

Como exemplo, vou citar um trabalho que fizemos juntas: ambas chegamos extremamente carismáticas, falando com todos os desconhecidos, e a Camila, em especial, fazendo todo mundo rir. Algumas horas depois, após o almoço e um esforço tremendo para nos certificarmos de que estávamos dando o melhor de nós, olhamos uma para a outra e percebemos que o carisma acabou, precisávamos urgentemente voltar para as nossas casas.

Veja bem, eu sei que parece no mínimo incoerente duas mulheres que apresentam podcasts semanais se definirem como introvertidas, mas, apesar de incoerência ser quase meu sobrenome, a confusão está mais relacionada ao verdadeiro significado de introversão. O primeiro entendimento errado é achar que necessariamente tem a ver com timidez. Um introvertido gosta de estar sozinho e fica emocionalmente esgotado depois de passar muito tempo com outras pessoas. Uma pessoa tímida não quer necessariamente ficar sozinha, mas o medo e a ansiedade servem como verdadeiros muros para a interação.

Olha que de timidez também entendo. Cresci tímida e introvertida, então dá para imaginar o tanto que a interação social demandava de mim. Na hora certa, entrei para o teatro e desde então me restou apenas a introversão. Ansiedade é o que elas têm em comum. Apesar de nem todo introvertido ser ansioso, de acordo com a psicóloga dra. Laurie Helgoe, autora do livro *The Introvert Power* [O poder dos introvertidos], é estatisticamente mais comum introvertidos apresentarem sintomas de ansiedade do que extrovertidos. Em minha opinião, é porque pensamos demais. Enquanto o extrovertido chega em um grupo e apenas vive o momento, os introvertidos têm dois esforços: o de estar na situação social e o de pensar incansavelmente se estamos nos portando bem e qual impressão os outros estão tendo de nós. No episódio #128, "Introvertidas altamente funcionais", o segundo com a Camila, ela comentou sobre uma necessidade que sente de dar satisfação para qualquer pessoa a respeito de coisas que na verdade não interessam a ninguém. Como exemplo, ela conta sobre uma situação numa fila de supermercado em que ficou envergonhada por estar segurando um saco de ervilhas congeladas que começou a molhar sua mão: "A pessoa da fila da frente começa a olhar e começo a me explicar para ela. Sem a menor necessidade. 'Ai, eu fui pegar correndo, você acredita que a fila estava vazia e de repente eu cheguei tinham três pessoas? Dali no canto do freezer a gente não enxerga a profundidade que é dessa parte até o caixa, não é? Então, por isso que eu estou segurando na mão'. E a pessoa, ela só quer que eu cale a boca, mas eu não consigo". E por que essa necessidade de se explicar? Para Camila, tem a ver com tentar ser agradável o tempo todo, com controlar o julgamento que fazem sobre nós. É também por isso que ela sente que precisa dizer ao porteiro do prédio onde mora para onde está indo, por "querer passar a melhor impressão para a pessoa, sim, de sair e o porteiro não pensar 'que antipática' ou 'aonde ela vai? Tá na hora de almoçar, ela não vai dar almoço para essa criança?'".

Contei nesse episódio sobre o dia em que eu estava pedindo comida japonesa só para mim e recebi uma mensagem do restaurante no chat: "Oi, Marcela, tudo bem? São um ou dois hashis?". Então, comecei a noiar: "Por que ele acha que poderiam ser dois talheres? Será que eu pedi muito?". Aí respondi: "Dois hashis", porque não quis parecer muito gulosa. Camila brincou, dizendo: "E você acha que essa pessoa está com tempo de ficar falando: 'Nelson, dá uma olhada no tanto que a menina pediu aqui'?".

Acho importante tirar algumas coisas do caminho: primeiro, não estamos em um teste do BuzzFeed em que você vai chegar a um resultado final: "Parabéns, você é extrovertido!". Todos temos momentos introvertidos e extrovertidos. De acordo com o psicanalista Carl Jung, não existe introvertido ou extrovertido "puro", todos caímos em algum lugar na escala móvel que define introversão e extroversão.

Segundo ponto: socializar é realmente desgastante para todos em algum momento. Um estudo recente da Universidade de Helsinque descobriu que os participantes relataram níveis mais altos de fadiga três horas após a socialização, sejam eles introvertidos ou extrovertidos. Mas o que eu aprendi que fez mais sentido é que, quanto mais extrovertida você é, mais chapadinha de dopamina você deve ficar.

Extrovertidos têm um sistema de dopamina mais ativo, por isso a possibilidade de recompensa os deixa muito mais entusiasmados. A dopamina dá a energia necessária para sustentar um papo com um grupo de desconhecidos ou ficar na festa até cantarem "Evidências". É como se, em uma corrida, o extrovertido tomasse um café e eu, introvertida, um chá de camomila. Como o sistema de dopamina dos introvertidos é menos ativo, tendemos a tolerar por menos tempo alguns estímulos, como barulho e muita gente falando ao mesmo tempo.

Eu e a Camila somos bem parecidas nesse sentido: chegamos planejadas para entregar tudo o que temos até a hora em que não sobra absolutamente nada de nós. Até meu tom de voz muda; para outros pode parecer sono, mas é falta de carisma mesmo. Então me tornei especialista em sair à francesa rumo à minha casa e meus cachorros e, ao chegar, eu me sinto extremamente vitoriosa. "Sabe a galinha olhando no espelho, aquele meme 'quem é a guerreira? Você é guerreira!'? Viro essa galinha", ilustrou muito bem a Camila. "Uma coisa que a Deia, do *Não inviabilize*, falou: tem uma perda de carisma, que ele só volta se você se deitar. Nem que você vá até um lavabo, numa festa, e deite no chão do lavabo, sabe? Existe um lugar [para] onde só volta se você deita. Você já percebeu isso?".

Eu já percebi muito. No auge dos doze calls diários e lives semanais durante o isolamento social, o que recarregava a minha capacidade de sorrir era me deitar no chão do escritório. Hoje, graças à vacina, voltamos a ter algumas reuniões presenciais e, em dias lotados delas, infelizmente eu não poderia repetir o momento na horizontal sem alarmar as pessoas ao meu redor, mas preciso de uma horinha de silêncio quando chego em casa para recarregar minhas energias.

Sou alguém que demorou muito tempo para perceber o desgaste emocional de me forçar a ser mais extrovertida do que realmente sou, por isso torço para que você saiba dizer seus bons nãos e aprenda com maestria a ir embora cedo dos lugares quando sentir que até sua visão começou a ficar nebulosa. Seus amigos verdadeiros vão perdoá-la e seu corpo vai agradecer.

O ódio às mulheres de sucesso

Se a língua portuguesa é ouro em criar gírias e memes, a inglesa é prata na criação de termos que resumem o que precisamos de várias palavras para explicar. Por definição, *trainwreck* é o trem que sai dos trilhos, causando um desastre que exerce um fascínio peculiar para os observadores. Nesse novo entendimento, é sobre mulheres que saíram dos trilhos que a sociedade impôs, e o desastre é a punição pública por isso, deixando claro o jogo que estamos jogando e quais são as regras.

Em nossa sociedade, não odiamos "mulheres de sucesso". Odiamos mulheres, ponto-final. No século XIX, tivemos a "epidemia da histeria", uma doença terrível que parecia afligir literalmente qualquer mulher remotamente inconveniente. Ao longo da história, fomos diversas vezes controladas pela patologização de nossas emoções e nossos desejos.

Hoje, apesar de não haver apedrejamento em praça pública, foi apenas em 2022 que a Comissão de Constituição e Justiça (CCJ) aprovou o projeto de lei da senadora Zenaide Maia proibindo o uso da tese da "legítima defesa da honra" como argumento para a absolvição de acusados de feminicídio. A pauta veio à tona em 2020, quando o impecável podcast *Praia dos Ossos*, idealizado e narrado pela jornalista Branca Vianna, retratou o trágico assassinato da socialite mineira Ângela Diniz por seu namorado na época, Raul Fernando do Amaral Street — também conhecido como Doca Street. O advogado de defesa alegou "excesso culposo de legítima defesa da honra", argumentando ao júri que ele tinha o "direito" de assassiná-la pelas provocações e ofensas provocadas à sua honra.

"Ela provocou, ela levou a este estado de espírito, este homem que era um rapagão, um mancebo bonito, um exemplar humano belo, que se encantou pela beleza e pela sedução de uma mulher fatal, de uma Vênus lasciva", foi a lamentável fala do advogado do assassino.

Em *Trainwreck: The Women We Love to Hate, Mock, and Fear* [Trainwreck: as mulheres que amamos odiar, ridicularizar e temer], Sady Doyle observa o que algumas das mulheres mais xingadas da história têm em comum e reexamina suas jornadas através de uma lente mais gentil. O livro é, segundo escreve, "uma tentativa de descobrir quais são os crimes cometidos, e por que elas nos deixam com tanta raiva". Clara Fagundes, pesquisadora de tendências, acompanha o raciocínio da autora. Ela postou em seu Instagram uma análise sobre a raiva direcionada às mulheres de sucesso e recebeu, em questão de instantes, uma mensagem minha: topa falar sobre isso no podcast? Felizmente para todas nós, ela topou. Participou do episódio #105 do *Bom dia, Obvious*, "O ódio às mulheres de sucesso". Nele, ela destacou duas coisas em especial: a falta de representatividade no que diz respeito às bem-sucedidas e o fato de que, ao longo da história, sempre houve um esforço em causar vergonha à mulher, "fazê-la se despir na frente dos outros", em suas palavras. Como esclarece Rosa Monteiro na abertura de seu excelente livro *Nós, mulheres: grandes vidas femininas*: "O feminismo, ou ao menos a parte majoritária do feminismo, não reivindica pessoas santas, mas pessoas que possam viver todas as possibilidades do ser, para além da tirania dos estereótipos. Vocês sabem, é aquela velha história: as meninas boas vão para o céu e as más vão para qualquer lugar. Eu sempre disse que alcançaremos a verdadeira igualdade de gênero quando conseguirmos ser tão tolas, ineficazes e malvadas como alguns homens o são sem que sejamos recordadas especialmente por isso".

Parece existir uma curva em que as pessoas a amam até você chegar à linha que seria o limite; a partir dela, suas conquistas passam pelo coro cruel de "ela nem merece" ou "ela nem é tão boa assim". Essa corrida pela descredibilização das conquistas femininas é, sem dúvida, um sintoma da sociedade patriarcal, mas é triste o diagnóstico de que não poucas vezes isso vem de outras mulheres.

"Quando pensamos em sucesso, ele é muito branco e masculino. Não olhamos para determinados caras e falamos que ele não merece estar lá, é natural. Mas, quando chega uma mulher nesse lugar, estranhamos por não ser o que imaginamos. Então, diferentemente do cara, a mulher tem que ser extraordinária, impecável, porque, no momento em que ela errar, esse erro será gigante e muito julgado. Esse recorte vai ficando pior conforme a mulher se afasta do padrão. Se é uma mulher gorda ou negra, ela precisa ser ainda 'melhor' — fofa, delicada e sem arrogância. Qualquer coisa que afaste as mulheres do padrão branco, cis, hétero e masculino adiciona uma camada a mais do quanto ela precisa ser extraordinária para estar ali", diz Rosa.

Durante anos, a cantora Luísa Sonza foi massacrada por causa de uma suposta traição, mesmo após ter sido negada inclusive pelo ex-companheiro. Já o campeão do *BBB22*, maior reality show da televisão brasileira, Arthur Aguiar, após dezenas de traições confirmadas, foi defendido em massa pelo direito de ter "mudado". Em 2021, o DJ Ivis ganhou mais de 140 mil seguidores no Instagram em menos de vinte e quatro horas após a divulgação de vídeos em que ele agredia fisicamente sua esposa, Pamella Holanda. O recado passado para as gerações mais novas é a maior tragédia: as meninas crescerão cientes de que qualquer erro pode defini-las para sempre, enquanto os meninos veem que sempre terão segundas, terceiras, infinitas chances de redenção.

Clara lembrou no episódio que, "quando a guilhotina começou a ser usada na França, as pessoas vaiaram porque foi rápido demais. Esse desejo de 'justiceirismo', de apontar que o outro está errado e eu não erro dessa forma, sempre aconteceu de maneira mais firme com as pessoas que já são oprimidas".

Há uma teoria que diz que a gente desacelera para ver acidentes na estrada por ter o pensamento de que "ainda bem que não sou eu". Talvez seja o mesmo com a internet, paramos para ver os cancelamentos pelo prazer egoísta de saber que nos livramos dessa. No caso da mulher, penso que, se ela tem sucesso, tornou-se visível. E isso porque está usufruindo de privilégios que historicamente eram masculinos, então não há nada mais delicioso para a sociedade patriarcal do que vê-la cair desse lugar — se for uma mulher negra, então, o sabor vem em dobro.

Em uma entrevista para o *The Guardian* em 2017, a atriz e escritora Phoebe Waller-Bridge, criadora da minha série favorita, *Fleabag*, disse que "ser adequada, doce e sempre agradável [é um] pesadelo da porra. É exaustivo. Como mulheres, recebemos a mensagem sobre como ser uma boa garota — boazinha e bonita — desde muito cedo. Ao mesmo tempo, dizem-nos que garotas comportadas não vão mudar o mundo. Então o que diabos eu deveria ser? Uma revolucionária que não incomoda ninguém? É impossível".

Ela tem razão. A sociedade nos deixa sem saída quando exige contradições ambulantes. A família nos ensina a ter vergonha de nossa sexualidade, mas cobra que estejamos em um relacionamento e que logo tenhamos filhos. O mesmo cara que se diz atraído por mulheres inteligentes se recusa a estar com uma que ganhe mais do que ele. A mesma mídia que nos mostrou, durante anos, um único padrão de beleza agora exige que todas se amem exatamente como são. As redes sociais gritam de diferentes formas: pense e cuide da sua aparência diariamente, mas não ouse ser fútil.

Seja a mulher mais dentro do padrão possível e não enxergue seu valor, sua metida!

Parem de acreditar que as mulheres absurdamente gatas realmente não sabem que são bonitas, como se fossem grandes vítimas que descobrem seu valor quando o galã milagrosamente as salva por se apaixonar por elas quando enxerga que são diferentes das outras. Nós crescemos assistindo a filmes em que a mocinha é a menina tímida enquanto a vilã sabe que é gostosa, e isso se transformou no medo coletivo de sermos consideradas metidas quando poderíamos apenas ser conscientes do nosso valor.

Na última vez em que fiz meu *ego search* (procurar o próprio nome no Twitter), esbarrei em um podcast de um homem hétero que dizia ser irritante a minha autoestima. Primeiro que, bem, mais à frente você entenderá que é um grande "quem me dera". Segundo que, ué, por que o fato de eu ser segura sobre o que estou falando irritaria alguém? Aliás, melhor: por que uma mulher confiante causaria irritação? A verdade é que a sociedade ama uma mulher insegura.

Pesquisas mostram que temos a percepção de que pessoas que criticam e atacam são mais inteligentes do que as que elogiam ou defendem, o que comprova que todo julgamento é mesmo uma confissão. Foi em terapia que aprendi que uma coisa é criticar, outra coisa é puro discurso de ódio. A crítica muitas vezes deve ser levada em consideração, mas o ódio definitivamente não.

O exercício de ódio é quando a pessoa não gosta nada e ponto. É o tal do odiar de graça. Odeia porque irrita. Ou porque reflete o fracasso dela. Odeia porque odiar se tornou quase um esporte olímpico. Odeia porque queria ter feito antes. Odeia porque, na verdade, odeia amar. Odeia porque tem inveja. Mas, sim, odeia e está no direito dela.

Só que o exercício de ódio, diferente da crítica, não está ali para ajudá-la a construir; na verdade, está mais para destruir. É por isso que dói e, muitas vezes, é um golaço nas mulheres que se sentem impostoras: talvez eu não seja boa mesmo, talvez minha vida seja uma piada, talvez eu também me odeie. É fácil cair na armadilha de gastar energia na tentativa frustrada de fazer os odiadores de plantão passarem a gostar do que você faz ou de quem você é.

Nunca respondi a qualquer crítica que percebi como discurso de ódio porque sei que estão disputando atenção, e a minha não vão ter. Não publicamente, pelo menos — mas coitada da minha terapeuta. Somos capazes de perceber quando uma crítica veio para nos ajudar. Já recebi algumas com raiva e, uma vez passado o impacto, senti certo alívio: essa pessoa tem razão, podemos melhorar. Uma crítica útil, como bem colocou a autora de *O caminho do artista*, Julia Cameron, é como uma peça que faltava no quebra-cabeça; o exercício do ódio a faz querer descartar o jogo, tipo meu irmão quando éramos pequenos e nossas partidas de *War* acabavam com ele jogando o tabuleiro para o alto.

Penso que, para reflexão sobre discurso de ódio, uma analogia é meu ódio por sorvete de flocos. Sério, detesto. Mas não chego na sorveteria tentando convencer que ele deveria sair do cardápio nem chamar aliados para o odiarem também. Tá, a comparação com sorvete pode parecer bobinha, mas absorva essa máxima: se você não falaria pessoalmente, não se manifeste on-line. Antes de tuitar ou criticar alguém de forma direta, é bom se questionar: de onde isso está vindo? Por que você odeia algo a ponto de querer que os outros odeiem também? Em que aquilo está mexendo em você?

Na excelente newsletter *Maybe Baby*, a escritora Haley Nahman falou sobre sua relação com a inveja: "Outro dia, quando minha irmã me perguntou se eu gostava de um podcast dirigido por dois formadores de opinião de Nova York, comecei a dizer a ela que achei chato, porque nada do que eles dizem é particularmente interessante ou engraçado. Mas, antes de terminar, fiz uma pausa e considerei se de fato estava com inveja deles — de sua falta de vergonha em lançar um produto sem pensar demais. A existência de seu podcast, na verdade, não me afetou em nada; meu problema com isso era apenas que me lembrava de minha própria autoconsciência".

Quando a gente trata a inveja como um sentimento que só pessoas maléficas sentem, perdemos uma excelente oportunidade de tratá-la como uma bússola. O que a minha inveja está querendo dizer? O que há nessa outra vida que eu gostaria de ter? A ironia poética da insegurança é que, se não a assumimos, ela vira um escudo de raiva perante os outros e acaba nos afastando de nós mesmas. É infinitamente mais fácil criticar do que assumir que você tem medo de tentar igual e não conquistar o mesmo sucesso.

A filósofa e youtuber Natalie Wynn, conhecida como Contra-Points, elaborou sobre o papel ardiloso que a inveja desempenha nas nossas vidas em seu canal no YouTube: "A lógica básica da inveja é: se eu não posso ter, ninguém pode [...]. É um estilo de pensamento puramente negativo e destrutivo. É tirar privilégios não para o benefício material dos desprivilegiados, mas apenas para a satisfação psicológica da pessoa invejosa". Ela cita alguns filósofos não apenas para discutir o sentimento, mas também para contextualizá-lo, explicando o efeito da proximidade. Segundo as teorias que são apresentadas, nós nos comparamos — e invejamos — às pessoas mais próximas, com quem competimos, e por isso as redes sociais causam maior dano: na internet, todo mundo é próximo.

O peso da palavra "inveja" é tão grande que muitas vezes parece necessário se convencer de que o sentimento é outro: enquanto ela costuma ser associada a inferioridade, "desdém" e "desprezo" tendem a ser associados a superioridade, apesar de ambos costumarem ser subprodutos da inveja. Wynn completa dizendo que a superioridade moral também serve como muleta nessas situações. A vida alheia funciona como um espelho, é praticamente impossível não se comparar. A questão é o que você faz quando aquilo que vê no outro escancara o que você não tem. O caminho mais fácil é repudiar.

A inveja é um dos sentimentos de maior tabu em nossa sociedade. Dizer que não tem inveja de ninguém é a maior mentira que você pode contar. O livro de Julia Cameron é um guia, e nas primeiras semanas ela nos convida a listar as pessoas que nos despertam esse sentimento do qual não devemos falar e o que elas têm que também gostaríamos de ter. É uma das folhas que queremos queimar depois de escrever, mas diz tanto sobre nossos verdadeiros sonhos que acho que todo mundo deveria ter coragem de tentar. Vamos?

Mulheres e ambição

Você se considera uma mulher ambiciosa? Posso apostar que, em meio ao turbilhão de respostas que passaram por sua cabeça, estão variações de "trabalhadora, sim, bastante esforçada, mas não me considero *ambicioooosa*". A ambição feminina existe, porém vive em uma espécie de purgatório — muitas a temos, mas poucas admitimos. Afinal, quando associamos mulheres a ambição, que imagem vem à sua cabeça? Uma mulher poderosa? Talvez dura demais? Ou até sozinha? E quando falamos sobre um homem ambicioso, como você o imagina?

Um estudo de 2020 mostrou que, quando as mulheres eram designadas arbitrariamente para posições de liderança, era menos provável serem consideradas desagradáveis, apesar dos prováveis questionamentos sobre ter habilidade para tal cargo. Entretanto, quando uma mulher buscava ativamente uma posição de chefia, ela encontrou penalidades. Isso sugere que, mais do que poder, influência ou sucesso, as mulheres são penalizadas por serem ambiciosas.

Em fevereiro de 2020, um período de ingenuidade em que não sabíamos que uma pandemia estava virando a esquina, conversei com a fundadora da primeira Agência de *Creators* Negros da América Latina, Egnalda Côrtes, sobre o verdadeiro papel da ambição na vida de uma mulher. Foi no episódio #25 do *Bom dia, Obvious*, chamado "Mulheres e ambição", em que Egnalda ressalta como os homens estão acostumados a certo tipo de performance feminina que eles conseguem dominar. "É bem psicológico o jogo. Você não precisa performar masculinidade, mas a ambição já é arrogante. Uma mulher falar o valor do seu negócio com certeza é muito arrogante, entra em um lugar de conflito, e você utilizar isso a seu favor é aquela janela de oportunidade para você se impor com a sua feminilidade e jogando as cartas", disse.

Visando explorar a disparidade de percepção sobre ambição entre gêneros, dois professores da Columbia Business School conduziram um estudo no qual selecionaram o currículo de uma empresária da vida real que era muito bem-sucedida e conhecida por sua personalidade extrovertida e o imprimiram em dois montantes de forma idêntica, alterando apenas um detalhe: enquanto metade dos alunos analisaria a versão com o nome verdadeiro da mulher, Heidi, os outros teriam em mãos uma versão com o nome de um homem, Howard.

O resultado chocou muitos, mas duvido que vá surpreendê-la: os alunos avaliaram Heidi e Howard como igualmente competentes, mas Howard foi considerado simpático e um bom colega de trabalho, enquanto Heidi foi vista como agressiva e egoísta, alguém com quem não gostariam de trabalhar. Ficou escancarado o preconceito inerente que as pessoas carregam em relação aos papéis e aos comportamentos típicos de gênero: somos julgadas seguindo regras diferentes, mesmo quando somos igualmente capazes, eficientes e talentosas.

As percepções e as expectativas equivocadas tornaram a ambição feminina algo a ser moderado; em vez de motivo de orgulho, uma razão para se preocupar. Isso atinge diferentes aspectos da vida, da eterna culpa materna ao pensar "será que eu seria uma mãe ruim se me permitisse colocar minha carreira em primeiro lugar em alguns momentos?" até indagar se somos péssimas parceiras no amor. Infelizmente, como mulher ambiciosa, digo, como uma nota de repúdio, que os homens tendem a evitar parceiras com características geralmente associadas à ambição. Segundo um artigo publicado em 2015 na revista *Personality and Social Psychology Bulletin*, uma equipe da Universidade de Buffalo realizou diversos estudos para mostrar o que acontece com os homens quando estão com uma mulher que parece ser mais inteligente do que eles. Em um primeiro experimento, pediram que avaliassem uma garota hipoteticamente mais preparada e habilidosa em matemática e inglês. Todos qualificaram a moça como um par romântico desejável em longo prazo. Na teoria, tudo lindo. Só que, quando foram criadas situações em que as mulheres competiam com eles e demonstravam ser mais inteligentes, elas deixavam de ser atraentes. Em resumo: teoricamente, os homens desejam estar com mulheres inteligentes, mas, na prática, elas jamais podem fazê-los se sentir menos brilhantes.

Isso tudo faz parte de um grande clichê que temos dificuldade em quebrar — enquanto o futuro de um homem ambicioso é empreender ou ocupar cargos altos tendo uma linda família o aguardando em casa, uma mulher ambiciosa pode até alcançar sucesso na carreira, mas deve temer a solidão que a espera. Como disse a escritora Chimamanda Ngozi Adichie (a mesma que abre esta parte do livro) em sua palestra viral no TEDX de 2017, eternizada por Beyoncé na música "Flawless": "Nós ensinamos as meninas a se encolherem, a se tornarem menores. Dizemos às meninas: 'Você pode ter ambição, mas não muito'".

A escritora Lorena Portela, para mim, é um dos maiores talentos da nossa geração. O *Bom Dia, Obvious* com ela, o #84, "Primeiro eu tive que renascer", tem até lágrimas ao final. Não sou de escolher favoritos, mas este é, com certeza, um daqueles pelos quais tenho mais carinho. Nesse episódio, Lorena fala sobre como acha curioso homens que se bajulam e estão sempre com um pé atrás para nos ouvir, com um olhar de dúvida sob uma sobrancelha arqueada. Ela contou sobre a época em que trabalhou em agências de Fortaleza chefiadas por homens e as experiências traumáticas que teve com isso.

"É um 'Clube do Bolinha' em que eles se protegem. Os homens têm esse conceito de tribo que é muito natural neles. Entendo isso pois cresci em uma família predominantemente masculina. Cresci com três irmãos homens e uma caralhada de primos. Eles se protegem e se defendem, é algo instintivo. Eu sempre fui outsider, a menina da família", ela relatou no podcast. "Muitas vezes, nós, mulheres, reproduzimos isso no mercado de trabalho porque de repente, no nosso inconsciente, a gente acha que vai se proteger também se juntando a eles. Muitas mulheres no mercado reproduzem esse comportamento e ainda não entenderam que é importante que a gente se perceba enquanto comunidade feminina e se fortaleça."

Essa rivalidade feminina no ambiente de trabalho foi articulada de forma que beneficia os homens e nos atinge de forma quase inconsciente com a crença impregnada de que só existe espaço para uma de nós na mesa do sucesso. Se formos tão unidas e parceiras quanto eles são, faremos com que essa mesa seja ocupada por muitas mais de nós em muito menos tempo. Com relação a isso, acredito que temos um tanto a aprender com a chamada "brotheragem".

Eu amo, em especial, o conceito de "líder nato", geralmente designado a um homem que tem as mesmas características de mulheres que serão julgadas como mandonas ou, em bom português, "umas vacas". Por mais difícil que seja para muitas admitirem, uma liderança masculina fere menos o ego, enquanto a liderança feminina, não raras vezes, personifica o possível medo de não chegar lá. O escape mais fácil? Duvidar que ela mereça estar ali.

Tem um trecho do episódio com a psicanalista Maria Homem (#38) de que gosto muito. Ela lembra que a solidão feminina foi historicamente articulada, então impedir as alianças femininas é uma excelente maneira de tirar nosso poder. "Vamos pensar em roteiros de cinema, séries *teens* ainda colocam as amigas rivais, é uma estrutura que está montada para colocar o homem como protetor e as abelhas femininas, em luta para alcançar a proteção."

Nessa cultura que entende que as mulheres devem se colocar em segundo plano para realizar o trabalho, muitas vezes invisível, de manter o bem-estar de todos ao seu redor, a ambição se encaixa como um desejo egoísta, mesmo que os frutos sejam compartilhados de forma generosa. Se somos ensinadas desde novas a lutar pelos sonhos dos outros, permitir-se tratar a si mesma como prioridade é uma contravenção por si só.

Se o estigma sobre o assunto fosse a única barreira, talvez estivéssemos mais próximas de uma resolução, mas hoje a ambição, como tantas outras coisas, é um privilégio desfrutado por poucas de nós. As razões são muitas, mas passam principalmente pela educação de meninas jovens e pelo triste cenário do abandono do ensino por motivos como casamento infantil, violência de gênero e pobreza — as famílias de baixa renda costumam favorecer os meninos quando investem em educação. Em todo o mundo, 129 milhões de meninas estão fora da escola, e apenas 24% dos países alcançaram a paridade de gênero no ensino médio.

Um levantamento divulgado em março de 2021 pelo IBGE mostrou que, em 2019, as mulheres receberam, em média, 77,7% do montante auferido aos homens. A desigualdade atinge proporções maiores em funções e cargos que asseguram os maiores ganhos: entre diretores e gerentes, elas receberam 61,9% do rendimento masculino. Como podemos equiparar nossas ambições se a compensação financeira e social segue em um abismo de desigualdade? Na mesma pesquisa, a renda média das pessoas negras era 55,8% da das pessoas brancas, o que deixa essa realidade ainda mais dura para mulheres negras.

Somando-se a esse trágico contexto, apesar de nós, mulheres, representarmos 54,5% da população economicamente ativa no

Brasil, as mães ainda sofrem constrangimentos no ambiente de trabalho e em processos seletivos, além de lidarem com políticas fracas de qualidade de vida no ambiente profissional durante os primeiros meses e anos dos filhos. Segundo o estudo *Estatísticas de Gênero*, divulgado pelo IBGE em março de 2021, apenas 54,6% das mães de crianças de até três anos estão empregadas. A maternidade negra, na mesma situação, representa uma taxa de emprego ainda menor: menos da metade está no mercado de trabalho.

As soluções são complexas, mas o que tenho certeza é de que quero cada vez mais mulheres tendo orgulho de suas ambições, conquistando e ocupando espaços que disseram que não pertencem a elas.

Às vezes, acho que sou uma impostora

"De vez em quando, recebo elogios por algo que realizei e me apresso em diminuir a importância daquilo. Tenho medo de que as pessoas descubram que não sou tão capaz quanto elas pensam. Quando me comparo, para mim fica claro que sou menos inteligente, capaz e merecedora do que as pessoas ao meu redor. Sinto que meu sucesso se deve a algum tipo de sorte. Às vezes, acho que sou uma impostora."

As afirmações do primeiro parágrafo vieram da Escala do Fenômeno do Impostor, elaborada por Pauline Clance, que, com a também psicóloga Suzanne Imes, criou, em 1978, o conceito de Síndrome da Impostora. Se você se identificou com a maior parte delas, pode estar dentro do grupo de mulheres que, apesar de suas excelentes realizações acadêmicas e/ou profissionais, têm dificuldade em aceitar que merecem essas conquistas, e talvez até convivam com o medo de enfim serem desmascaradas.

A boa notícia é que você e eu estamos bem acompanhadas. Viola Davis, Kate Winslet, Michelle Obama, Sheryl Sandberg e até a psicoterapeuta Anne de Montarlot — que, justamente ao escrever um livro com a jornalista Élisabeth Cadoche chamado *Le Syndrome d'imposture* [A síndrome da impostora], sentiu-se paralisada.

"Mesmo tendo muita experiência e já termos feito mais de cem entrevistas sobre o tema, além de muita pesquisa, imediatamente comecei a questionar minha habilidade para escrever este livro", contou.

Em outubro de 2019, resolvi tratar do assunto no episódio #11 do *Bom Dia, Obvious*, chamado "Às vezes acho que sou uma impostora". A ironia é que, naquele momento, eu me sentia a maior impostora do mundo: como ousava achar que poderia apresentar um programa sem ter nenhuma experiência? Eu tinha certeza de que, em breve, perceberiam que eu apenas fingia saber o que estava fazendo e que aquele *podcastzinho* não iria a lugar algum. A diretora de arte Paula Hemm não sabia de nada disso, mas me desenhou perfeitamente na capa do episódio, na qual uma mulher retira uma máscara que seria sua farsa. As convidadas foram as brilhantes Jules de Faria, jornalista e criadora da Think Eva, e Ciça Conte, psicóloga.

Depois de quase três anos desde o lançamento do episódio, as discussões sobre o assunto ficaram ainda mais interessantes. Isso porque, apesar de eu ter tratado — e muito — a sensação de fraude em terapia, a sociedade passou a questionar por que a síndrome existe, em primeiro lugar. O conceito falha quando depositamos nas mulheres toda a carga de lidar com os efeitos da síndrome em vez de responsabilizar o mercado de trabalho.

Em um excelente artigo para a *Harvard Business Review* com o título "Pare de dizer para as mulheres que elas têm Síndrome da Impostora", Ruchika Tulshyan e Jodi-Ann Burey argumentam que o impacto do racismo sistêmico, do classismo, da xenofobia e de outros preconceitos estava categoricamente ausente quando o conceito de síndrome do impostor foi desenvolvido. Conceito que, aliás, culpa os indivíduos, focando em consertar as mulheres no trabalho em vez de corrigir os lugares onde elas trabalham.

O próprio termo "síndrome", inclusive, é uma fraude: para ser considerada como tal, ela deve ser reconhecida pela OMS e apresentar sinais e sintomas que podem ter causas variadas, assemelhando-se a uma ou a várias doenças. O termo mais apropriado é "fenômeno da impostora".

Como seres individuais que somos, o fenômeno pode nos atingir de diferentes formas e em suas diferentes fases, que hoje são divididas em cinco comportamentos. Eu me identifico 100% com a Perfeccionista.

A **Perfeccionista** sente-se impostora porque sua necessidade de controle e perfeição a faz acreditar que não é tão inteligente/capaz/amável quanto os outros pensam que é. Elogios a constrangem porque nunca está perfeito, sempre poderia ter sido melhor.

A **Especialista** sente-se impostora porque não sabe absolutamente tudo sobre algum assunto tópico, por isso acredita ser uma farsa quando emite uma opinião. Sempre estuda, corre atrás, mas nunca se sente verdadeiramente especialista no assunto.

A **Gênia** sente-se uma fraude simplesmente porque não acredita que seja naturalmente tão inteligente ou competente quanto deveria. Não se permite ser iniciante e acha que é uma impostora quando enfrenta qualquer dificuldade no processo de aprendizado.

A **Solitária** sente-se uma impostora sempre que precisa pedir auxílio a outras pessoas e se tortura porque deveria ser capaz de resolver todo e qualquer problema por conta própria. Todo pedido de ajuda é uma confirmação de que ela é inferior.

A **Supermulher** acredita que deve ser a última a ir embora do escritório, a mãe que dá conselhos para as outras, quem mais coleciona prêmios na prateleira, a que consegue equilibrar corpo perfeito com rotina atribulada e, provavelmente, postar tudo isso diariamente, provando que não é uma fraude.

As origens desses comportamentos são muito individuais, mas um estudo apresentado pela revista *Science* em 2017 mostra que a raiz talvez esteja em nossa infância. Ao perguntar a meninos e meninas se eles achavam que alguém do gênero oposto era "brilhante", entre as crianças de até cinco anos não foram observadas diferenças entre os gêneros, porém, a partir dos seis ou sete anos de idade, a probabilidade de uma menina considerar outra brilhante começa a cair consideravelmente.

Um fato curioso dessa mesma pesquisa é que ambos os gêneros reconheceram que as meninas tiram notas melhores. O que me deixou muito intrigada: se nessa idade a escola representa praticamente nosso mundo, o que, além dela, faria as meninas acharem que os meninos são tão mais inteligentes?

Crescer com um irmão gêmeo homem foi escutar por toda a minha infância quanto ele era inteligente, corajoso e excelente nos esportes, enquanto para mim os elogios eram sempre relacionados à minha aparência. Linda, fofa, delicada, uma princesa. Não à toa, quando me perguntavam o que eu queria ser quando crescesse, a minha resposta era "empresária do Rodrigo". Parecia que a única chance de eu me tornar bem-sucedida seria à sombra de quem a sociedade disse que deveria ocupar esse lugar.

Katty Kay e Claire Shipman são autoras de diversas obras que discutem a realidade profissional e financeira das mulheres, como *Womenomics*. No livro *A arte da autoconfiança*, elas afirmam que existe, sim, uma lacuna de confiança entre as mulheres: a maioria acredita que alcançou resultados piores dos que de fato conseguiram, consideram-se mais sortudas do que competentes e não se consideram aptas a promoções. As autoras defendem que sucesso e confiança estão correlacionados, e que essa lacuna cria um bloqueio para a realização pessoal e profissional a curto, médio e longo prazos. Um estudo do LinkedIn concluiu que mulheres tendem a se candidatar a vagas para as quais preenchem 100% dos requisitos, enquanto homens se candidatam com apenas 60%.

A crise na confiança não diz respeito unicamente a quanto as mulheres acabam subestimando a própria capacidade como consequência das lógicas de poder do mundo patriarcal. Do outro lado da moeda, pesquisas, como a da Universidade de Utah, publicada em 2015, indicam que homens tendem a superestimar, com consistência, os próprios resultados.

Em entrevista para a *Harvard Business Review*, o psicanalista Tomas Chamorro Premuzic, autor do livro *Why Do So Many Incompetent Men Become Leaders? (And How to Fix It)* [Por que tantos homens incompetentes se tornam lideres? (e como consertar isso)] complementou: "A verdade é que praticamente em qualquer lugar do mundo os homens tendem a pensar que são muito mais inteligentes do que as mulheres. No entanto, a arrogância e o excesso de confiança estão inversamente relacionados ao talento de liderança — a capacidade de construir e manter equipes de alto desempenho e inspirar seguidores a deixarem de lado suas agendas egoístas para trabalhar pelo interesse comum do grupo".

Uma pesquisa com estudantes estadunidenses mostrou que as mulheres tendem a avaliar o próprio desempenho de forma mais pessimista do que os homens. Ao serem convidadas para participar de uma competição, 51% delas recusaram a proposta, enquanto, entre os homens, essa taxa foi de 29%. Considerando que historicamente as mulheres apresentam desempenho melhor do que o dos homens, o resultado é lamentável e o impacto também: homens recém-formados podem receber salários 12% maiores que os das mulheres recém-formadas. Ao longo do tempo, essa diferença chega a 27%. Um estudo de 2020 conduzido por pesquisadores da Universidade de Stanford, nos Estados Unidos, sugeriu que a lacuna de confiança é proporcional ao gap salarial entre gêneros no mercado de ciências, tecnologia, engenharia e matemática, campos-alvo da publicação.

Em um estudo realizado pela Universidade de Yale em 2012, dois estudantes de ciências, Jennifer e John, candidataram-se a uma vaga de supervisor de laboratório. Como é de costume nos Estados Unidos, a universidade enviou seus currículos para serem avaliados por cento e vinte e sete professores de biologia, física e química pertencentes às seis universidades mais importantes do país. Em uma escala definida por eles, John ficou em posição superior à de Jennifer. Aqui já começo a ficar nauseada. Quando pedido que sugerissem seus possíveis salários, eles ofereceram 30.328 dólares anuais a John e 26.508 a Jennifer. A porrada final vem ao descobrirmos que Jennifer e John não existem: os currículos analisados eram exatamente idênticos, mudando apenas o gênero dos candidatos.

A constante tentativa de invisibilizar mulheres no campo de exatas é tamanha que ganhou até nome: Efeito Matilda. Criado em 1993 por Margaret W. Rossiter, o termo surgiu como forma de denunciar casos em que trabalhos realizados por mulheres são diminuídos ou atribuídos a homens. É uma homenagem à ativista norte-americana Matilda Gage (1826-1898), defensora do sufrágio universal e da abolição da escravatura. No ensaio "Woman as an Inventor" ["A mulher como inventora"], publicado em 1883, Matilda protesta contra a ideia de que as mulheres não têm genialidade para invenções e lista contribuições femininas à ciência, mostrando que, ao longo da história, muitas delas foram atribuídas a homens.

Esse triste mérito não é só da ciência, como bem aponta a escritora Rosa Montero: "As obras das mulheres sempre foram propensas a serem extraviadas ou esquecidas; está perdido, por exemplo, o poema épico *A Guerra de Troia*, da grega Helena, no qual Homero se inspirou para criar a *Ilíada*. Como diz Virginia Woolf, 'o que aconteceu com Judith Shakespeare, a irmã ambiciosa e cheia de talento de Shakespeare?'".

Mulheres que vivenciam o fenômeno da impostora tendem a atribuir seus sucessos a um conjunto de circunstâncias externas — sorte, networking, estar no lugar certo na hora certa — e seus fracassos a características inerentes, como falta de competência. As mulheres têm maior probabilidade de assumir a culpa por um desempenho inferior do que os homens, que geralmente responsabilizam circunstâncias externas. Para eles, é o tal do "briefing que veio todo errado", enquanto elas são mais propensas a se culparem: "Será que eu mereço trabalhar aqui?".

Por isso, não raras vezes, sentimos que precisamos entregar o dobro de trabalho e assumir o triplo de responsabilidades para, quem sabe daqui a um tempo, nos sentirmos minimamente dignas de reconhecimento. Assumir que as mulheres devem tratar o fenômeno da impostora como um problema pessoal e não reconhecer que o mercado de trabalho está completamente intoxicado por ele é mais uma violência contra nós.

PARTE 3

O novo espelho

"A história do meu corpo não é uma história de triunfo. Esta não é uma autobiografia sobre perda de peso. [...] Minha história não é uma história de sucesso. Minha história é simplesmente uma história verdadeira. [...] Eu gostaria de escrever um livro sobre estar em paz e amar a mim mesma, inteiramente, de qualquer tamanho. Em vez disso, eu escrevi este livro, que foi a experiência mais difícil da minha vida, algo bem mais desafiador do que eu jamais imaginara. Porém, logo percebi que não estava apenas escrevendo uma autobiografia do meu corpo; eu estava me forçando a olhar o que meu corpo havia suportado, o peso que eu havia ganhado e quão difícil tem sido conviver com esse peso, assim como perdê-lo. Tenho sido forçada a olhar para os meus segredos mais culposos. Eu me abri totalmente. Estou exposta. Isso não é confortável. Não é fácil."

Roxane Gay, Fome

Aula de jazz

O texto que você leu na folha ao lado é a abertura de *Fome*, obra em que a escritora Roxane Gay relata sua relação com seu corpo. Quando o reli ao pesquisar para este livro, respirei fundo e pensei: farei o mesmo. Este capítulo, a princípio, seria apenas sobre a minha relação com exercícios físicos, da qual realmente me orgulho e quero passar para a frente. Lembro que, nos primeiros episódios em que entrevistei ativistas corporais, recebi e-mails apontando que eu era uma hipócrita por tratar sobre esse assunto sendo uma mulher magra. Naquela mesma semana, recebi uma mensagem de um perfil fake me chamando de "balofinha". Enquanto a sociedade decide em qual dos dois eu me encaixo, percebi que não contar sobre a minha relação com o meu corpo seria uma fuga neste livro no qual tomei coragem de me abrir tanto. Nunca me senti tão exposta como ao escrever os parágrafos a seguir, e nunca me senti tão livre quanto ao terminar de escrevê-los.

A primeira vez que alguém fez um comentário depreciativo sobre o meu corpo, ou ao menos a primeira vez em que prestei atenção nisso, eu tinha oito anos, o ano era 1998 (ostentando aqui minha facilidade em recordar idades, já que nasci em um ano redondo). Estávamos nos preparativos para a apresentação de final de ano da turma de jazz ao som de "Mambo Number Five" (*A little bit of Monica in my life, A little bit of Erica by my side...*), e o figurino era um conjuntinho de calça boca de sino e top com amarração logo abaixo do seio. Um decote imenso. Barriguinhas de fora. Para meninas de menos de dez anos dançarem ao som de uma voz masculina listando suas possíveis conquistas amorosas. Será que os anos 1990 aconteceram mesmo?

Foi a costureira que finalizava minha calça quem, ao me perder de vista, perguntou em voz alta: "Onde foi parar a gordinha?". Lembro-me perfeitamente das gargalhadas na sala. Em meio a elas, um abafado: "Nossa, tadinha!". Também me lembro de que ela comentou sobre o corpo da minha melhor amiga naquela classe, dizendo que era lindo. Daquele momento até o último dia de aula, eu fiquei observando e me perguntando o que tinha de tão diferente entre o meu corpo e o da Camila, já que até então eu realmente não entendia.

Em seu famoso ensaio para a *Vogue* chamado "Self-Respect" (Autorrespeito), a escritora Joan Didion conta que, ainda jovem, escreveu em um caderno que a inocência acaba quando perdemos a ilusão de que gostamos de nós mesmas. Mais do que associar magreza a beleza, as gargalhadas foram o início da minha compreensão de que ser magra está relacionado a admiração e sucesso, e ser gorda, a deboche e fracasso.

Conhecer pessoalmente a modelo e comunicadora Letticia Munniz foi uma daquelas surpresas gostosas. Ela tem verdade no olhar, um abraço gostoso e muito a nos ensinar sobre como tratar nossos corpos com o respeito que eles merecem. No episódio #12 do *Bom dia, Obvious*, "Corpo presente, corpo resiliente", ela contou que aos dez anos já odiava seu corpo e aos treze fazia dieta da sopa com o aval da mãe: "É muito louco. A minha mãe não é uma pessoa ruim. Ela é alguém que teve a mente formada pela sociedade, uma vítima também. Na escola, todos comiam salgado no recreio e eu queria também, mas ficava lembrando da sopa da minha mãe e que tinha que ir para casa comê-la. Aos dez anos você é uma criança, e hoje tem crianças ainda mais novas odiando seus corpos".

Ela tem razão: segundo dados da Pretty Foundation, uma organização australiana sem fins lucrativos que visa criar resiliência corporal em meninas de dois a seis anos, 38% das meninas de quatro anos estão insatisfeitas com seus corpos e 34% das meninas de cinco anos pretendem fazer dieta.

Algumas memórias parecem ficar guardadas intactas em um HD à parte da nossa mente, porque outro dia me lembrei de uma cena tão, mas tão clara que era como se eu pudesse cheirar a neblina da Gávea. Era a festa de aniversário de uma colega de sala, e uma amiga começou a ser zoada pelos meninos por sua falta de seios. Veja bem: tínhamos doze anos, no máximo. Durante muito tempo, carreguei esses momentos sem os conectar às idades, como se eu pudesse digerir com trinta e dois o que me aconteceu antes mesmo de poder votar. Mas, quando encontrei o tempo dos acontecimentos, fiquei um tanto pasma. Como assim eu tinha dez anos quando passei a odiar minhas coxas?

Infelizmente, não foi só a socialização no início dos anos 2000 que nos ensinou que havia algo de errado com nossos corpos. Um estudo feito pela organização britânica Girlguiding em 2019 apontou que um quarto das meninas entre sete e dez anos afirma que as mulheres são julgadas mais pela aparência do que por suas habilidades, sendo que 15% delas se sentem envergonhadas devido à forma de seus corpos. A Universidade Federal do Rio Grande do Sul (UFRGS), por sua vez, no mesmo ano trouxe uma perspectiva brasileira: 82% das crianças do país com idade entre oito e onze anos em Porto Alegre desejavam ter uma silhueta diferente. Essa vontade vem frequentemente associada à baixa autoestima e à sensação de que pais e amigos gostariam que a criança fosse mais magra.

Todas nós passamos por um momento de virada de chave em que conseguimos entender o que é desejado e aplaudido pela sociedade. Meninas jovens não são fúteis por se preocuparem tão cedo com a aparência, são vítimas. Crescer em uma casa onde perder peso é aclamado com "UAU, como você emagreceu, está linda" registra em nossos cérebros ainda em formação que receberemos mais carinho e atenção se formos mais magras. Mas isso não vale só para magreza: se na sua casa, como foi na minha, os primeiros comentários sobre qualquer mulher são sobre sua aparência, desde muito novas fica claro o jogo que estamos jogando.

Este capítulo é o meu apelo para você ser a voz de carinho e acolhimento a qualquer menina jovem que esteja passando por esse período difícil de se entender mulher no mundo, além de um convite para você repensar quais foram as situações que a traumatizaram e identificar as idades que tinha na época.

Espero que você elimine qualquer autojulgamento que a acompanhou à cabine de uma loja de biquíni e que, ao ser atingida por essas memórias intrusivas, substitua a vergonha por autocompaixão. Afinal, ainda carregamos essa menininha que, no meu caso, fingiu estar menstruada para ficar de short e camiseta, a poucos metros de distância da água, em festas na piscina, porque se sentia um monstro de tão feia. Ela merece nosso abraço.

O Brasil, hoje, ocupa a segunda posição no ranking mundial de cirurgias plásticas, e inclusive exportamos todo o nosso conhecimento sobre o assunto. É praticamente impossível conhecer uma mulher brasileira que esteja verdadeiramente em paz com seu corpo. Quando Valeska Zanello participou do podcast, pontuou que a ideia de beleza se transformou em um dever ético na sociedade, pois, se uma mulher não está com a imagem de acordo com o esperado, é porque "não se cuida". Só que o conceito de autocuidado virou uma espécie de fantasia para a pressão estética, e posso provar com uma experiência recente.

Fui convidada para um espaço em São Paulo com muitas promessas sobre relaxamento, seu melhor eu, e por aí vai. Sabe quando dizem muitas palavras de impacto soltas e você mal entende do

"Todas nós passamos por um momento de virada de chave em que conseguimos entender o que é desejado e aplaudido pela sociedade. Meninas jovens não são fúteis por se preocuparem tão cedo com a aparência, são vítimas."

que realmente se trata? Bem, quis acreditar que eu receberia uma deliciosa massagem e topei. Dois dias depois, recebo um e-mail descrevendo quais seriam minhas atividades naquelas horas "relaxantes": passaria por uma avaliação corporal e uma análise da minha pele. Peraí, vocês acham que me trariam paz horas em que eu ouviria que poderia perder alguns quilos de gordura e que minha pele precisa de mais colágeno? Não, obrigada.

A obsessão por corpos com pouca gordura é tanta que hoje temos dificuldade de reconhecer quando alguém não está saudável, já que a magreza se tornou quase um fetiche. Enquanto corpos gordos são questionados sem descanso sobre sua saúde, parece que, quanto mais magras ficamos, mais aclamadas seremos. Só que existe, sim, um limite saudável.

Lorena Portela explorou esse sintoma da sociedade através da protagonista do seu romance *Primeiro eu tive que morrer*, do qual já falamos. No auge de sua tristeza, a personagem começa a perder muito peso e passa a receber elogios por estar magra; de repente, usando o mesmo jeans e camiseta que sempre usou, passa a ser considerada elegante.

A modelo Mariana Goldfarb, mesmo sendo uma das mulheres mais bonitas do Brasil, foi uma grande vítima dessa cultura. No episódio #103 do *Bom dia, Obvious*, "Liberdade que vem da minha autoestima", ela contou que, quando desenvolveu anorexia, tornou-se sua pior inimiga, chegando a cair de tão fraca depois de uma aula de spinning. Quais você acha que eram os comentários sobre o corpo dela nesse mesmo período? "Eu fui muito elogiada quando estava doente. Por isso que confunde tanto a cabeça das pessoas que passam por uma anorexia, porque isso é enaltecido como uma meta a ser alcançada, e a cabeça dá um nó", falou.

Na época em que eu trabalhava com audiovisual e convivia diariamente com modelos, com frequência ouvia de outras mulheres:

"Nossa, eu ia me sentir horrível do lado delas". Só que, ironicamente, esses anos com elas foram benéficos para a minha relação com a autoestima. Eu percebi ali que mesmo as mulheres consideradas mais lindas, em muitos momentos se odiavam até mais do que eu, deixando claro que a questão não é a imagem no espelho, e sim como a cabeça lida com as pressões da sociedade.

Outro raciocínio que me ajudou muito veio de uma dessas modelos. Ela me perguntou: "Quando você está em uma roda e surge um comentário sobre uma pessoa ser muito bonita, não tem sempre alguém para discordar? Eu percebi que nunca seria unânime, então ou eu estaria no grupo que me acha bonita ou seria completamente infeliz". Apenas genial.

Quando você pensa que o verão está chegando, quais pensamentos vêm à sua mente? Se algum deles tem a ver com a possibilidade de mudar algo em seu corpo para se sentir mais à vontade nos dias de sol, não se culpe; até porque você definitivamente não está sozinha. Uma pesquisa realizada pelo instituto Ilumeo apontou que 62% das mulheres se sentem mais feias no verão — parece que, conforme a temperatura e as preocupações estéticas aumentam, a autoconfiança feminina despenca. Isso é uma construção social que não é nada culpa sua.

Eu costumo preferir ser feliz a ter razão, mas, quando ouvi de uma diretora criativa com quem eu estava criando a estratégia de conteúdo da marca que a pauta daquela semana deveria ser "faltam x dias para o verão, então você tem x dias para estar com o corpo em dia", fechei o tempo geral. Foram muitos anos lutando contra essa bomba-relógio para passar por cima do que eu acredito em troca de um relacionamento profissional. O espanto dessa diretora foi tanto que ela até perdeu a fala: dentro da bolha em que ela vivia, o "projeto verão" era algo natural.

A verdade é que ser mulher neste mundo é saber que em muitos momentos nosso corpo será tratado como pauta pública, mesmo que não tenhamos pedido opiniões. Como uma resposta tardia à sugestão de pauta, convidei a influenciadora e ativista corporal

Ray Neon para falar sobre isso no episódio #71 do podcast, "Autoestima para (sobre)viver no verão".

Ela comentou sobre as intituladas "elofensas" (ofensas disfarçadas de elogios) que ouve com muita frequência, como o clássico "poxa, seu rosto é tão lindo", deixando claro que seu corpo está longe de ser. Ray também contou sobre o dia em que estava em uma fila do banco e uma desconhecida a abordou para lhe indicar uma dieta. Essa história me dá até arrepios de ódio. A resposta dela deve ter deixado a abusada em choque: "Muito obrigada, mas eu não estou a fim de emagrecer".

Nunca vi, e espero jamais ver, uma lápide "vestiu 36 e teve a barriga dos sonhos", mas parece que, enquanto uma mulher não alcançar ao menos um desses dois objetivos, seu legado na sociedade está incompleto. Roxane Gay, no já citado *Fome*, convida-nos a refletir o que diz sobre nossa cultura o fato de o desejo de perder peso ser considerado uma característica-padrão da feminilidade.

No meu trecho favorito, ela sempre me arranca risadas quando fala: "Em mais um comercial, Oprah diz, sombriamente: 'Dentro de cada mulher com excesso de peso há uma mulher que sabe o que pode ser'. Essa é uma noção popular: a ideia de que os gordos carregam uma mulher magra dentro de si. Cada vez que vejo esse comercial em particular, acho que comi aquela mulher magra e ela estava deliciosa. E então penso em como é foda promover essa ideia de que nossos eus mais verdadeiros são mulheres magras escondidas em nossos corpos gordos como impostoras, usurpadoras, ilegítimas".

Nos finais de semana de 1999, eu repetia o caminho nos corredores da Blockbuster até chegar ao DVD (moderno, né?) do filme *Ela é demais*. O puro suco do final dos anos 1990: enquanto eu apreciava meu bom alfajor da Turma da Mônica, o filme me deixava o lembrete de que o cara gato da escola jamais se apaixonaria por uma garota com óculos. Será?

Então, temos a icônica cena em que a protagonista desce as escadas ao som de "Kiss Me". O grande galã fica apaixonado em questão de segundos. As meninas populares agora querem falar com ela. Ela até ganha uma rival feminina para provar seu valor. A mudança na aparência é mínima: ela apenas tirou os óculos e soltou os cabelos, mas a consequência para o nosso entendimento dos efeitos da aparência física como moeda social é eterna.

Fazendo companhia ao meu DVD do coração, temos o show da gordofobia em episódios de *Friends*, já que o mesmo cara que tem horror à Mônica quando era gorda se apaixona quando ela se torna magra: a fórmula perfeita para aprendermos quais tipos físicos são dignos de amor. Coincidência ou não, no mesmo ano em que, aos doze anos, fiz minha primeira escova progressiva, estreava no cinema *O diário da princesa*, no qual a gata *apenas* fez uma escova em seus cabelos ondulados e conquistou o visual digno de realeza.

Por fim, não chega a ser uma transformação, mas basicamente porque nem essa chance foi dada: personagens negras passaram décadas condenadas ao papel de coadjuvantes, servindo apenas como suporte e ombro para a amiga branca, então dificilmente sabíamos como elas se sentiam ou víamos o mínimo desenvolvimento de seu arco narrativo.

Evoluímos um tanto de lá para cá, mas deslizes como a escolha da protagonista da série *O gambito da rainha* deixam claro que o jogo não mudou tanto assim. No livro, ela é conhecida por ser a menina mais feia da história. Dizem que seu nariz é feio, a pele parece uma lixa e por aí vai. Mas a atriz que a interpreta é uma musa. O que mais uma vez reforça a ideia de que só seremos bem-sucedidas se tivermos o pacote completo. Se ela fosse *só* uma campeã mundial de xadrez, sem o rosto perfeitamente simétrico, nós a admiraríamos da mesma forma?

O que também se repete ainda hoje é a ideia de um tempo único: na ficção, frequentemente as filhas são interpretadas por mulheres com mais de 25 anos, enquanto o papel das mães é desempenhado por atrizes que não passam dos trinta e cinco. Aqui o golpe é duplo: as adolescentes são atingidas com a ideia de que no auge da puberdade deveriam ter a aparência de quem já passou dela, enquanto aquelas com mais de cinquenta anos se culpam por não terem sido capazes de paralisar o efeito do tempo.

Esse combo marcou toda uma geração de mulheres que hoje talvez não consigam responder se são capazes de passar vinte e quatro horas sem pensar em suas aparências e no que gostariam de mudar. Se isso parece um pouco nebuloso em sua cabeça, se, apesar de consumir e compartilhar conteúdos sobre neutralidade corporal e amor-próprio, essa força magnética da pressão estética continua a atraí-la, me dê a mão, porque estamos juntas.

Por que as dietas não funcionam

Como sobrevivente do malfadado bug do milênio, no Natal de 2000 eu tinha dez anos e brincava, em São Paulo, com a minha casa da Barbie enquanto o CD *Oops, I did it Again* tocava nas alturas. Esse combo nada mais era que a minha procrastinação para fechar as caixas da mudança para o Rio de Janeiro — listar os sentimentos que eu buscava evitar enquanto fazia isso daria outro livro. O que eu não sabia, enquanto enrolava arrumando aquela residência em miniatura, é que seriam necessários quatro meses para embalar tudo o que remetia à minha infância e me livrar daquilo para parecer uma adolescente o quanto antes.

Chegar a uma cidade nova na virada da pré-adolescência é desafiador por si só, mas ter que encarar que na Cidade (às vezes) Maravilhosa as minhas colegas de classe pareciam ter cinco anos mais que eu foi uma tortura. O ano letivo começou em fevereiro, mas só em junho eu soube que os meninos da quinta série tinham se masturbado em conjunto em uma aula de ciências. Veja só: seis meses antes, eu dançava em "bailinhos" em São Paulo. Absolutamente todas as minhas amigas sabiam mais sobre sexualidade do que eu, não por falta de acesso, mas porque com dez anos eu realmente estava mais interessada em criar narrativas para a minha Barbie do que em descobrir como dar prazer a um homem. Até porque, até ali, sexo era apenas isso mesmo.

    Esse abismo não me impediu de fazer amigas, e certa tarde convidei uma delas para ir à minha casa. Bateu quatro da tarde, aquela fome monstruosa, e não pensei em outra coisa: bora comer uns nuggets? "Se você lanchar nuggets, nunca vai emagrecer, você sabe, né?", foi a resposta dela. Não sei se reagi como ela esperava, já que me pareceu insano ela sugerir que eu fizesse dieta com aquela idade. Apenas gargalhei e rebati, incrédula: "Você tá brincando, né?". Ela não estava, e, a partir de então, nem eu. Escrevi em uma folha A4 que prendi na geladeira: "A partir de hoje, só como peixe e salada".

    Se você se assustou com quão jovem eu era na fatídica aula de jazz com decotão e barriguinha de fora e no dia em que nugget virou o meu maior objeto de ódio e desejo, saiba que estou dentro das estatísticas: mais de 90% dos casos de transtorno alimentar começam com uma dieta, a maioria em torno dos doze anos. Um levantamento feito em 2014 pela Secretaria de Estado da Saúde de São Paulo aponta que 46% das meninas entre 10 e 24 anos acreditam que pessoas magras são mais felizes.

    Quanto mais cedo vemos a comida sendo relacionada à dieta como vilã, no eterno pode ou não pode, mais é difícil nos lembrarmos de quando a relação foi tão simples quanto "estou com fome, saciada e acabou". A nutricionista Fernanda Imamura diz que, se você não consegue se lembrar da última vez que olhou para um prato de comida sem pensar na quantidade de carboidratos e proteínas, definitivamente já está fazendo dieta há tempo demais.

    Ela conversou comigo sobre esse tema no episódio #37 do *Bom dia, Obvious*, "Não se destrói o patriarcado com fome". Fernanda afirma que a sociedade do patriarcado busca formas de tirar a mulher dos locais importantes, e a indústria das dietas restritivas é uma delas. "Eu atendo muitas pacientes que contam que estão em reuniões importantes de trabalho e começam a ficar com tontura porque não comeram direito, não conseguem prestar atenção porque estão com fome, e realmente isso tira o foco. Acho que tem relação de colocar a mulher em um espaço de exclusão."

Dieta, no significado original da palavra, vem do grego *díaite*, que significa "modo de vida". Mas, com o passar do tempo, o que deveria ser um estilo de vida virou sinônimo de restrição, e para muitas também de frustração. Primeiro porque, não raras vezes, o desejo de mudar algo no corpo é o início de uma longa batalha contra ele e de quedas nas armadilhas pesadas da cultura da dieta. Segundo porque, apesar de promover resultados a curto prazo, está comprovado que 95% das pessoas voltam ao peso anterior ou superior em um período de até cinco anos. Para piorar, mesmo entre os que não recuperaram o peso, muitos desenvolvem transtorno alimentar. O terrorismo nutricional e a obsessão por magreza escondem que o equilíbrio do corpo vai muito além de calorias ou índice de massa corporal (IMC) — é sobre fazer as pazes com a comida, com o corpo e não permitir que a vida gire em torno do que vamos comer.

A frustração por não conseguir ter consistência em uma vontade que mora em nossa mente sem pagar aluguel é sempre dolorosa. Mexe com a nossa autoestima, faz-nos questionar nossa capacidade e coloca na balança nossa força de vontade. E, quando o papo é ser saudável, dói ainda mais o discurso simplista de "ué, é só fechar a boca e fazer exercício todos os dias", o famigerado "foco, força e fé" ou o deleite familiar "mas a sua prima conseguiu emagrecer tão rápido...".

Em meio a dias de luta, dias de glória, cheguei ao livro *Os 7 pilares da saúde alimentar*, da nutricionista referência em pesquisa de neurociência alimentar Sophie Deram, também autora de *O peso das dietas*. Lendo e estudando sobre seu trabalho, meu percurso deu uma virada daquelas: compreendi que o comportamento alimentar é mais relevante do que o alimento em si quando falamos sobre vida saudável, e quis que o mundo inteiro ouvisse o que essa rainha tem a falar. Ela participou do episódio #107 do *Bom Dia, Obvious*, "Por que as dietas não funcionam". "Quem você acha que tem a saúde em equilíbrio: uma pessoa com diabetes controlada que sai com os amigos, convive em família, namora, trabalha, ou aquela que não tem nenhuma patologia, mas deixa de viver momentos importantes como aniversários, jantares, porque está obcecada por 'comer saudável'?", ela questionou. "Agora, o que é mais saudável? Uma alface ou um bolo de chocolate? Depende! Se você estiver em um aniversário que tem um bolo de chocolate e você pede uma alface, você não está sendo saudável! A gente não deveria colocar o saudável no alimento, mas sim no padrão alimentar."

Minha despedida mais recente — já que não garanto não ter recaídas! — de uma dieta restritiva foi quando estava tentando escrever um texto e minha mente só conseguia pensar no que eu poderia lanchar entre as duas opções a que estava autorizada. A grande ironia das dietas restritivas é que elas fazem com que você pense em comida o tempo todo, justamente quando não pode comer. Percebi que estava começando a ter uma relação mais saudável com os alimentos no dia em que me esqueci de lanchar, o que seria impensável quando minha vida girava em torno disso.

Sophie falou também sobre uma pesquisa realizada entre um grupo de francesas e um de americanas. A pergunta era simples: o que vem à sua mente quando você pensa em bolo? As americanas, em geral, responderam: gordura, engordar e culpa. Ou seja, evitar a qualquer custo. As francesas responderam de forma totalmente diferente: felicidade, aniversário, prazer. Qual desses dois grupos você acha que tem mais chance de comer bolo até passar mal? Quanto mais você ataca seu corpo impondo restrições e querendo mudá-lo, mais ele vai se defender, com risco de desequilibrar a saúde e o peso.

"Cortei todos os carboidratos durante vinte dias e no vigésimo primeiro comi carboidratos até passar mal." Essa fala poderia ser sua? Provavelmente sim: sua, minha, nossa. Muitas já estivemos nessa situação, e pode levar um tempo até entender a máxima da reeducação alimentar: toda restrição leva à compulsão. Quanto mais proibimos nosso corpo de consumir algum grupo alimentar, mais nosso cérebro manda a mensagem de que precisamos dele. Talvez você esteja familiarizada com a "dieta da despedida", ou até a tenha praticado ontem. Consiste na abertura da janela de oportunidade para comer em quantidades desproporcionais, às vezes até passar mal, já que amanhã a dieta volta. O ciclo vicioso de restrição > compulsão > culpa é comum e extremamente perigoso. O que aprendi com Sophie e passo para a frente sempre que posso é que não existe um alimento que sozinho seja saudável ou não — o que define a saudabilidade é seu comportamento perante ele.

Eu voltei, sim, a comer nuggets pouco depois da minha manifestação na folha A4 na porta da geladeira, só que esperava não ter ninguém em casa ou comia escondida de madrugada. Não podemos permitir que a nossa vida gire em torno de alimentos, até porque comer faz parte dos melhores momentos e prazeres da vida. Como chegamos ao ponto em que comer um pedaço de bolo carrega, em si, uma carga emocional tão grande?

Segundo uma pesquisa realizada pela fundação NOW, 43,2% das adolescentes afirmaram estar felizes com seus corpos, ao mesmo tempo que 45,5% delas consideram fazer uma cirurgia plástica. É a tangibilização das informações contraditórias com as quais somos bombardeadas diariamente: ame-se como você é, mas não se esqueça de ser um pouquinho mais como a Bruna Marquezine.

Não é surpreendente que no meio dessa bagunça existamos eu, muitas mulheres que conheço e possivelmente você oscilando entre dias de "RESPEITA ESSA GOSTOSA" e outros de "ok, acho que quero perder um pouco de barriga"? Entender a cultura das dietas, seguir ativistas corporais e amar todos os dias um pouco mais o seu corpo nem sempre é uma jornada constante.

"Não podemos permitir que a nossa vida gire em torno de alimentos, até porque comer faz parte dos melhores momentos e prazeres da vida. Como chegamos ao ponto em que comer um pedaço de bolo carrega, em si, uma carga emocional tão grande?"

O que as redes sociais a ensinaram a odiar em seu corpo?

Se nos aventurarmos a navegar pela linha do tempo sobre mulheres e padrão estético na última década, a sensação é de que poderíamos estar jogando em um daqueles clássicos brinquedos de shopping: enquanto você bate em uma toupeira e acaba com ela, outra surge à sua esquerda. Martelando esta, aparece uma nova logo à direita, e assim sucessivamente. Nem com metade da diversão, mas possivelmente com a mesma intensidade de emoção, enquanto discutíamos sobre o fim do uso excessivo de Photoshop em campanhas publicitárias, cinco amigos israelenses criavam a multimilionária empresa Facetune.

O aplicativo foi lançado em março de 2013, e permite que os usuários removam manchas da pele, diminuam ou aumentem partes do corpo e realizem outras manipulações que anteriormente só podiam ser feitas pelo Photoshop e utilizadas em campanhas estreladas por pessoas famosas. Veja só: queríamos eliminar a chance de ver celebridades com aparências falsas, só que agora todo mundo pode ver uma versão falsa de si mesmo.

No livro *Falso espelho*, a jornalista Jia Tolentino conta que era mais fácil ser cética em relação a anúncios e capas de revistas produzidos por profissionais, mas ficou infinitamente mais difícil suspeitar de imagens produzidas por nossas iguais, e quase impossível desconfiar das imagens que nós mesmas produzimos para nosso próprio prazer e benefício.

Em seus quase dez anos de existência, o Facetune teve mais de 60 milhões de downloads, sendo o aplicativo mais baixado da Apple em 2017. Em uma entrevista para o *The Guardian*, o CEO da Lightricks, Zeev Farbman, empresa dona do aplicativo, disse que não pretendia que os usuários manipulassem seus corpos: "Não tenho certeza se cabe a nós decidir como as pessoas usam o aplicativo".

Imagine se o seu principal espelho refletisse uma versão sua alterada: sem poros, boca mais carnuda, nariz mais fino, olhos sempre descansados. Logicamente, você se acostumaria com aquela nova identidade e poderia ser até estranho se reconhecer sem esses efeitos. A realidade é que é difícil desver, uma vez que você se enxerga com as alterações dos filtros. E é um exercício forte tentar se blindar dos efeitos da comparação nas redes sociais.

Contei, no episódio #60 do *Bom Dia, Obvious*, "A comparação é a inimiga da felicidade", sobre um filtro que testei e me deixou um pouco decepcionada de não ser minha imagem real. Apesar de considerar minha relação com eles saudável na medida do possível, foi difícil não viver o baque do antes e depois quando abri a câmera real do celular. Lucas Liedke, psicanalista do episódio, disse que a tristeza pós-filtro tem algo de Quarta-Feira de Cinzas depois de um Carnaval intenso, uma ressaca. "Esses espelhos da rede podem nos colocar em uma situação de não conseguir mais estar em paz com quem somos porque estamos nos comparando com outra pessoa", ele disse. O pior, nesse caso, é que essa outra pessoa, em tese, é você mesma.

Os filtros também ajudaram a dar origem a um novo padrão estético conhecido como "Instagram face", ou "rosto do Instagram". Sobrancelhas arqueadas, contornos marcados, lábios carnudos, nariz fino, pele sem poros, o nosso eu-ciborgue. De acordo com dados da Sociedade Brasileira de Cirurgia Plástica (SBCP), o aumento de cirurgias entre jovens de 13 a 18 anos foi de 141%, e a justificativa de mais da metade delas é: aparecer bem em selfies.

Considerando tudo isso, não foi exatamente uma surpresa quando o *The Wall Street Journal* vazou os dados de uma pesquisa interna do Facebook em 2021 confirmando que a empresa (hoje conhecida como Meta) estava ciente de que o Instagram torna os problemas de imagem corporal piores para uma em cada três meninas adolescentes. Ou que os transtornos alimentares, longe de desaparecerem com o aumento do discurso da positividade corporal, estão em alta.

Segundo uma pesquisa da Dove, cerca de 84% das jovens brasileiras com treze anos já aplicaram um filtro ou usaram um aplicativo para mudar sua imagem em fotos, e 78% delas tentam mudar ou ocultar pelo menos uma parte ou característica de seu corpo de que não gostam antes de postar uma foto de si mesmas nas redes sociais. Além disso, os dados apontam que, quanto mais tempo elas passam editando suas fotos, mais relatam baixa autoestima corporal — é o caso de 60% das que passam de dez a trinta minutos editando as imagens.

Se achávamos que o Instagram era a rede social mais tóxica para os jovens, no paralelo perdemos de vista que o TikTok vinha com tudo com seus vídeos nocivos sobre rotinas para ser *aquela* garota. Uma matéria da NBC News falou com sete garotas de até vinte anos que disseram que o conteúdo a que assistiram no aplicativo "as levou a se fixar mais em suas dietas e regimes de exercícios de uma forma perigosa".

Assim se repete a história do Photoshop *versus* Facetune: enquanto estávamos batendo no Instagram, o TikTok sorrateiramente destruía a autoestima das mais novas. Talvez seja como a guerra contra as drogas: estamos escolhendo os inimigos errados. Não adianta travar uma batalha contra a plataforma do momento; a nossa luta precisa ser contra a cultura da dieta e o culto a um padrão de beleza.

Chapadinhas de endorfina

No final do sexto episódio do *Bom dia, Obvious*, ao fazermos nossas considerações finais, falei sobre como o exercício físico mudou totalmente a minha relação com meu corpo. Eu o transformei verdadeiramente em um ritual de autoamor, fiquei apaixonada pelas coisas de que o meu corpo é capaz. Eu acho mágico como posso pedalar, como o meu braço pode carregar um peso. E passei a acreditar muito mais em mim em outros ambientes. É muito importante, para mim, entender que aquela uma hora é minha, um presente que estou dando para a minha relação comigo mesma. Acho, inclusive, que foi a minha solução de autoestima — o que é muito engraçado, porque não passa pela estética. É totalmente pelo que estou fazendo por mim.

A princípio, o título do programa seria "Pareço cool, mas sou fitness", mas um *story* endorfinado mudou a rota. Em uma terça-feira que eu já sabia que seria corrida, decidi que editaria o podcast na padaria em frente ao spinning no tempo que tinha até a primeira reunião do dia. Depois de suar horrores, pedi meu bom café passadinho com ovos mexidos e torrada e senti a endorfina abraçar meu corpo. A sensação era tão boa que postei nos meus *stories*: "Hoje editando o podcast totalmente *chapadinha de endor-*

fina". Era para ser só uma legenda perspicaz, mas vi ali um novo título para um episódio que mudaria a relação de muitas mulheres com o exercício físico, segundo o relato delas mesmas.

Chapadinhas de Endorfina é hoje uma plataforma própria de conteúdo e uma comunidade da Obvious. É a realização de uma missão de vida: nunca entendi por que algo que nos fazia tão bem estava carregado de mensagens de punição e imagens que mostravam a vida ativa como um meio para chegar a certo tipo de corpo. O boom das chamadas "musas fitness" com rotinas totalmente fora da realidade, o tal do *no pain no gain*, o pesadelo do "tá pago". Tudo que envolvia tratar atividade física como castigo, quando deveria ser uma celebração do nosso corpo, sempre me incomodou muito. Eu queria que mais mulheres sentissem que a vida é muito melhor em movimento: ficar chapadinha de endorfina é gostoso demais.

A primeira provocação que tive em relação a exercícios físicos e gênero foi quando assisti à jornalista Nati Leão falando em um evento. Na ocasião ela contou que, segundo o IBGE, 68% das brasileiras nunca praticaram esportes na vida, e que a prática de exercícios físicos por mulheres é 40% inferior à dos homens. Acabei a convidando para o episódio #6 do podcast, no qual ela falou sobre a questão da separação por gênero começar a acontecer cedo na sociedade.

"O menino vai para o parque vestido para se divertir, para testar e expandir os seus limites com o esporte; a menina, se quiser, até pode fazer isso, mas vai vestida bonitinha", ela disse, ressaltando que, ao chegar à adolescência, a garota já passa para uma relação de obrigação de estar "bonitinha" no esporte. "Porque aí a menina tem que fazer atividades físicas para cuidar do corpo, não passa pelo momento do prazer. A gente não é ensinada a se divertir com o esporte como os meninos são. Só que, quando chega à adolescência, a gente já tem uma série de questões de autoimagem, de ter que estar bonitinha, de ter que estar bem-vestida, eu acho que aí o esporte começa a ser mais uma cobrança."

Tive sorte de nascer em uma família que nunca teve essa visão. Meu irmão e eu realizávamos exatamente as mesmas atividades, e não à toa ele se formou em dança contemporânea e eu passei por humilhações tragicômicas em aulas de futsal. Todo mundo (mesmo!) tem um esporte para chamar de seu. Minha avó Odete com seu pilates, minha prima Fabi com a corrida, meu irmão, que hoje é acrobata, e por aí vai.

Até ir morar no Rio, eu já tinha praticado todos os esportes que você possa imaginar, e foi justamente o que a Nati citou no episódio. Com a folha A4 na geladeira, minha percepção de prazer com atividade física desapareceu. Para emagrecer, eu tinha que ir à musculação, correr na esteira. Enquanto em São Paulo eu tinha um grupo de amigas empolgadas com handebol, com a mudança de cidade começou a minha lacuna com atividades físicas, que durou até os dezenove anos.

Não posso exatamente odiar o nascimento das musas fitness porque, de uma maneira meio torta, elas me ajudaram a ressignificar a presença na academia. Pelo menos entendi que era um ambiente para mulheres. Acho que algumas até concordariam comigo aqui, então digo sem medo que, com o tempo, as coisas saíram do controle. A meta já não era ser saudável, mas ter a barriga que geraria mais comentários.

Grande parte da provocação do Chapadinhas é questionar o estereótipo da vida ativa em que se mover é punição por ter comido demais, sempre em busca de corrigir algo no nosso corpo. Todo esse ideal foi construído ao longo dos anos pela publicidade, mas essas influenciadoras deram uma boa força.

Após analisar perfis com foco em dieta e condicionamento físico populares no Reino Unido, uma pesquisa da Universidade de Glasgow concluiu que oito em cada nove deles dão maus conselhos a seus seguidores. Os critérios de avaliação eram se as informações passadas por cada um eram transparentes, confiáveis, nutricionalmente sólidas e se eles possuíam referências baseadas em evidências. *Fake news low carb*, poderíamos dizer.

A consequência disso não tem nada de *"low"*. Entramos em um efeito paradoxal no qual, apesar de vivermos a ilusão de que temos muitas escolhas, a corrida pela relevância e um algoritmo que aparenta ter uma agenda própria nos deixam com poucas opções viáveis em que acreditar. Entre treinos muito além dos limites do corpo, jejuns intermináveis e projetos para mudar seu corpo em uma semana, o que tenho certeza é que a ideia do que é uma vida saudável precisa mudar urgentemente.

Por mais que a minha jornada de corpo e autoestima continue sendo um desafio, o meu lugar mais seguro é movendo meu corpo. Enquanto algumas sentem que precisam se esconder, eu mal consigo enxergar quem está ao redor. Muitas amigas que preferem sentir a pressão cair de tanto calor a tirar a blusa em uma aula impressionam-se por eu ser sempre a primeira a ficar só de top e legging em algumas aulas — isso independentemente de com qual peso eu esteja. Permitindo-me ser repetitiva, após três anos, mover meu corpo continua sendo meu presente para a minha relação comigo mesma, e não vou deixar que qualquer olhar externo tire isso de mim.

Falamos a respeito disso no episódio #71, que já apareceu aqui, sobre autoestima no verão. Nele, a influenciadora Ray Neon relatou a experiência de fazer ioga na frente do espelho, pelada, para ver como seu corpo se movimentava, e como isso a ajudou a olhar para o próprio corpo sem julgamentos. "Às vezes eu penso 'a minha barriga ficou muito grande', e daí? Olha que movimento lindo que o meu corpo é capaz de fazer. E postar uma foto de biquíni, mostrar que você se ama e se aceita quando você é gorda é um ato político. É revolucionário quando conseguimos nos libertar dessas amarras que a sociedade coloca em nós."

A loucura é tanta que ficamos impregnadas com a ideia de que apenas um tipo de corpo "pertence" a um espaço que serve justamente para cuidar da saúde. Vamos falar sobre procrastinação mais para a frente, mas trago um aperitivo porque o paralelo é perfeito: assim como preferimos ver vídeos de gatinhos em vez de encarar uma entrega no trabalho que mexe com a nossa autoestima, é totalmente compreensível que você prefira vestir a camisa do "sou preguiçosa, não gosto de malhar, me deixa em paz" em vez de ir a um ambiente que grita o tempo todo "você não pertence a aqui".

A questão é que dificilmente esses lugares têm a nossa cara, mas nunca terão enquanto a gente não os ocupar. Se você concluir que não tem ninguém na academia com o corpo parecido com o seu, lembre-se: a qualquer hora, pode entrar alguém que se parece com você e você será o acolhimento dela.

Muita gente faz piada com a ideia de ir para a academia cuidar da saúde mental, e eu entendo, dou risada junto. Mas, se me permitem pausar o humor por um instante, Alice Cristina de Campos, professora-doutora do Departamento de Farmacologia da Faculdade de Medicina de Ribeirão Preto, durante o episódio #6 do *Bom dia, Obvious*, disse algo que talvez a faça ser o próprio meme do "e tá tudo bem".

Segundo ela, durante a prática de exercício físico, nosso organismo produz substâncias que ajudam no funcionamento do nosso cérebro, como a endorfina. Essas substâncias agem como se fossem analgésicos ao reduzir nossa percepção da dor. Além delas, durante o exercício físico também são liberados neurotransmissores, substâncias químicas que auxiliam na comunicação entre os neurônios no sistema nervoso central, ou seja, no cérebro.

"Entre esses neurotransmissores, dois principais que são liberados durante a prática de exercícios físicos regulares são a dopamina, neurotransmissor também liberado durante o sexo, e a serotonina, neurotransmissor que também está relacionado com o bem-estar e com a felicidade. Não à toa, esses dois neurotransmissores, dopamina e serotonina, são encontrados diminuídos em pacientes com depressão", explicou ela.

Terminada a aula de ciências, vamos de humanas com a influenciadora Jojoca, uma das líderes do feliz contramovimento dos estereótipos da vida fitness e grande parceira do Chapadinhas. Ela participou do episódio #112 do podcast, "Saudável on-line, doente off-line?", quando falou sobre a depressão que tratou por muitos anos e lembrou-se de uma crise que teve no processo.

"Eu já tomava remédio, estava deitada fazia dois dias, e me deu um pulso de energia. Fui ao parque com a pior sensação do mundo, mas dei uma volta. Lembro-me dessa saída até hoje: se der essa volta, vou sentir uma satisfação por ter saído de casa, ter driblado o medo", ela recordou. "Cada coisinha que fazemos para o exercício físico não é para emagrecer. O exercício não precisa ser a hora bosta do seu dia. Quando ele não é, você cria uma opção que lhe traz felicidade de alguma forma e não está nas coisas que você faz sempre. É muito libertador saber que sozinha você consegue sentir essa sensação."

Uma professora uma vez me disse que o que nos derruba ou lesiona na ioga é sempre o ego. Ou seja, quando não respeitamos o limite do nosso corpo ou quando olhamos para o lado e queremos fazer igual ao melhor aluno. Da ioga para a vida, quem foca no outro desequilibra — e deixar de focar em si é, também, uma bela autossabotagem.

A autossabotagem tem muitas facetas, mas nas atividades físicas as principais são a pressa por resultados e a comparação. Em agosto de 2020, conversei com a jornalista Luanda Vieira sobre o assunto no episódio #54, "Estou vivendo ou apenas me autossabotando?". É um dos episódios mais escutados até hoje, e também um dos meus favoritos. Eu tinha acabado de mudar de casa e não tinha estruturado os equipamentos de som, então nos arriscamos a gravar no jardim mesmo. Resultado: passarinhos ao fundo e um papo impossível de não se identificar.

Luanda contou que sempre quis fazer ioga, mas, como toda a sua bolha fazia, tinha vergonha de começar e ser julgada. "Coloquei na minha cabeça que estava com preguiça quando, no fundo, eu sabia que era vergonha de ser julgada. A gente sabe exatamente o que nos paralisa. A minha primeira pergunta para a professora, minha amiga de infância, foi para saber em quanto tempo eu ficaria ótima", ela lembrou. A professora respondeu que ninguém faz ioga para ficar perfeito, ou ao menos não deveria ser assim. Ioga diz respeito a olhar para si mesma, e só.

Em uma sociedade que cobra autoaperfeiçoamento até a exaustão, fica difícil lembrar que todo mundo começou de algum lugar. Mas permita-se ser iniciante. Hoje, quando vejo que não sei fazer uma pose mais evoluída na ioga, gosto de parar e observar quem já sabe. Não me comparando, mas aprendendo e mentalizando: um dia, no meu tempo, quem sabe eu não faça igual. E vamos de *balasana* — postura da criança, ou de repouso, caso você (ainda) não seja praticante.

Conhecendo minha defesa do Chapadinhas de Endorfina, imagine minha alegria quando vi duas das minhas melhores amigas se apaixonarem pela bicicleta em meio à pandemia. Justo as que eram mais relutantes com a vida Chapadinha, com mais de trinta anos, enfim encontraram uma atividade para amar. Em outubro de 2021, convidei ambas, Juliana Pereira e Olivia Amsler, para dividirem suas histórias de amor pela bicicleta, e elas participaram do episódio #115, que se chamava, bem... "Encontrando uma atividade para amar".

Durante a conversa, Olivia explicou como foi esse processo para ela, ou como ela entende esse processo a partir da própria experiência: "Tem a ver com tudo o que você descobre que você tem e as ferramentas que desenvolve para se sentir mais forte emocionalmente, fisicamente. Você vai ficando mais seguro e isso vai te tornando uma pessoa mais confiante, o que te ajuda em todos os outros setores da sua vida. No final, a bicicleta foi só o início".

"Em uma sociedade que cobra autoaperfeiçoamento até o esgotamento, fica difícil lembrar que todo mundo começou de algum lugar. Mas permita-se ser iniciante."

Ou seja, o esporte não necessariamente para quando enfim tomamos uma ducha. Muitas vezes, ressignificamos nossa relação com o trabalho, conhecemos pessoas que mudam nossas vidas e percebemos que dali saiu bem mais que suor. Permitir-se ter momentos em que a sua saúde é a prioridade número um e ousar não ser produtiva profissionalmente por algumas horas é gritar de volta para uma sociedade que nos faz acreditar que somos apenas o nosso trabalho. Agora eu escolho cuidar de mim.

A Juliana é um daqueles casos com os quais muitos se identificam: a vida toda tentou vários esportes obrigada pelos pais e se sentia problemática por odiar todos eles. Fazia academia por dois meses puramente por questões estéticas, mas a falta de prazer com aquilo a deixava assistindo à mensalidade bater na fatura diretamente do sofá. Até que ela pedalou pela primeira vez e me mandou uma mensagem dizendo: "Agora eu entendi, isso é endorfina".

Quando a gente fala do esporte como uma meditação ativa, é porque, hoje, qualquer tempo em que você se atreva a não ser produtiva no trabalho, não consumir redes sociais e se distanciar de algumas telas é uma chance para realmente estar atenta ao momento presente. Como já comentei, durante muito tempo me senti frustrada por não conseguir meditar da maneira mais tradicional. Silenciar minha mente sentada em uma posição que massacrava minha lombar era tudo, menos zen. A eutonista Andréa Perdigão, já citada aqui, abriu minha cabeça para as muitas outras possibilidades de exercitar a presença.

Ela explicou, no episódio #41, que o mindfulness é uma prática de meditação, apesar de ter ficado mais popular recentemente, tão milenar quanto o budismo. "É essa atitude de estar presente a cada momento, intencionalmente, em tudo que você faz, sem julgamento, e se une com a eutonia pela questão do corpo, um dos pilares para te ancorar no estado de presença, é o corpo, é aprender, perceber e sentir", disse ela, e talvez este seja um bom momento para explicar, depois dessa segunda ou terceira menção, que eutonia é uma abordagem que reeduca os hábitos corporais.

Quando você realmente encontra uma atividade para amar, a última coisa de que vai chamar é de sacrifício. "Socorro, então eu vim com defeito de fábrica, Marcela!" Calma, peço um voto de confiança aqui: nem sempre é um caminho fácil encontrar um exercício para chamar de seu, ainda mais com todas as barreiras que existem para as mulheres no esporte. Mas o corpo e, mais importante, a mente agradecem se você insistir na busca implacável por esse ritual de autoamor.

Tempos atrás, enquanto eu escrevia um roteiro para o *Bom Dia, Obvious*, fui completamente ofendida pelo Google Docs quando ele completou minha frase "a fórmula perfeita para" com o termo "emagrecer". Até tu, Google? Chegando à academia, há um mural com os desejos das alunas escritos: "Completem a frase, meninas! Estou aqui para...". E 90% dos papéis que as frequentadoras grudaram ali falavam sobre ficar magra.

Deixo registrado neste livro para, quem sabe, eu ler daqui a alguns anos que tenho o sonho de fundar uma academia com as aulas que eu amo, mas sem a perpetuação de discursos tóxicos. O treino, no caso, é um que leva meu coração a cento e noventa e dois batimentos por minuto e em alguns dias dá até vontade de desmaiar. Mas é que eu amo mesmo, sabe? Encontrar uma atividade que você ama pode parecer uma comédia romântica meio torta. Ou um filme de terror de mau gosto. O que importa é que, quando você realmente encontra um amor em forma de movimento, ignorando recados tóxicos que vêm de quase todos os lados, até esquece que aquilo um dia pareceu um sacrifício.

Eu demorei a entender que esportes em equipe não são para mim. Já me cobro demais para precisar de um time inteiro dependendo da minha capacidade física. Em vez de reduzir minha ansiedade, como se espera que um esporte faça, isso só me gera mais angústia. Infelizmente, demorei a descobrir isso. Enquanto ainda tentava me encontrar em um esporte de equipe, houve um jogo específico, quando eu praticava vôlei no Clube do Flamengo, que nunca esqueci.

Depois de conseguir acertar milagrosamente cinco saques na sequência, estava nas minhas mãos pouco habilidosas a chance da grande virada da vitória. Essa menina, que lembro ser a mais "popular" dali, me olhou com seus olhos azuis e trancinhas nos cabelos loiros e lisos (motivos suficientes para eu enxergá-la como superior no início dos anos 2000) e gritou: "NÃO VAI ERRAR ESSA, MARCELA!".

Eu acertei o saque e fomos campeãs mundiais.

Mentira, eu errei e nunca mais voltei de tanta vergonha. Especialmente depois daquela ocasião, percebi que gosto de depender apenas de mim e de desafiar apenas a mim. Por isso amo a corrida, a ioga, a natação e o muay thai. Amo aulas coletivas, mas nas quais cada um cuida da sua vida, assim como amo estar em relacionamentos em que cada um tem sua individualidade. Pode ter a ver? Dificilmente.

O que eu sei é que tratar exercício físico como minha descarga diária de estresse e espalhar a palavra do Chapadinhas de Endorfina é uma das minhas grandes alegrias. Sou tão devota do movimento que amo quando vejo qualquer pessoa começando uma atividade nova. No spinning, até ofereço ajuda para a amiga ao lado desprender a sapatilha, porque sei que, se ela cair, talvez não volte mais. Afinal, não são poucos os desafios até aquilo se tornar um hábito, e qualquer deslize pode desmotivar; mas nada como dar tempo para se apaixonar pelas coisas incríveis que seu corpo é capaz de fazer.

Bonita de hábitos

Se a entrada "dia primeiro" marca o "mesversário" de todos os hábitos que você prometeu na virada do ano mas não adotou, somos duas. Também me dei metas que com o tempo começam a parecer piadas de mau gosto comigo mesma. Foi só estudando para o episódio #132, "Bonita de hábitos", com a participação da minha amiga Jana Rosa, que percebi: o problema não sou eu, mas a maneira como encaramos nossos objetivos. Todos os hábitos que temos agora — bons ou ruins — estão em nossa vida por um motivo.

Esse episódio tem muitas, muitas mesmo, citações de *Hábitos atômicos*, de James Clear. Um dos conceitos do livro é que você não deve criar metas, e sim gerar sistemas. "O propósito de gerar regras é ganhar uma partida, o propósito de construir sistemas é continuar jogando. Um verdadeiro pensamento a longo prazo não contém metas."

O desafio é que, quando traçamos um objetivo, dificilmente listamos também como vamos chegar até ele. Não somos aquilo que fazemos às vezes, somos aquilo que fazemos repetidamente. Para ler doze livros em um ano, é preciso começar a ler algumas páginas por dia. Para correr cinco quilômetros, você precisa começar alternando trote leve com caminhada.

"O desafio é que, quando traçamos um objetivo, dificilmente listamos também como vamos chegar até ele. Não somos aquilo que fazemos às vezes, somos aquilo que fazemos repetidamente."

A ideia de que basta ter força de vontade tem se provado cada vez mais falsa. Os resultados de um experimento publicado na revista *Social Psychological and Personality Science* mostram que o autocontrole e todos os benefícios advindos dele podem não estar relacionados à inibição de impulsos. Divididos em dois grupos, os participantes com mais características de autocontrole não foram mais bem-sucedidos em exercê-lo; foram os alunos que experimentaram menos tentações em geral que tiveram mais sucesso. Para completar, as pessoas que exercitavam mais autocontrole também relataram sensação de esgotamento, já que não apenas não estavam atingindo seus objetivos como também estavam exaustas de tentar.

Será que sua amiga que bebe pouco álcool tem mais força de vontade do que você, que sofre uma ressaca de quatro dias? Na verdade, ela não se coloca em situações nas quais o autocontrole dela é posto à prova. Sua prima que pula da cama para fazer crossfit não tem mais força de vontade que você: ela provavelmente se diverte quando está lá.

Se você está correndo porque "precisa" estar com o "corpo em dia", mas acha que correr é uma tortura, provavelmente vai usar todas as justificativas possíveis para não sair de casa. O nosso cérebro precisa de recompensas, igual uma criança precisa de pirulito para parar quieta quando corta o cabelo. Só que recompensas de curto prazo, tipo assistir à Netflix em vez de ir dormir cedo, muitas vezes custam caro no futuro — no caso, você com os olhos inchados de sono na primeira reunião do dia. Precisamos, então, criar gatilhos que facilitem um novo hábito. Muitos costumam comer algo doce e saboroso no café da manhã como um estímulo para se levantar logo cedo da cama, por exemplo.

Não torne um hábito que você sabe que gostaria de eliminar um traço da sua personalidade. Quando a Jana falou, no podcast, sobre como foi parar de beber, ela disse que não separa os hábitos entre bons e ruins, mas entre os que são velhos e fizeram parte de uma fase e os que são novos e fazem sentido agora. Segundo ela, os hábitos "ruins" que ela deixou de fazer foram bons em alguma época, tiveram seu papel, sua utilidade, seu motivo para existir. A conclusão é que é preciso exercitar o autoperdão e se livrar de possíveis julgamentos, especialmente internos. "Quando o hábito já está na sua vida, no seu coração e na sua rotina, sempre encontramos uma oportunidade para encaixá-la no nosso dia a dia", ela argumentou.

Em vez de se culpar por uma falha, planeje-a. Todo mundo vai sair da rotininha perfeita de vez em quando; a diferença fica por conta da velocidade com que cada uma de nós volta a ela. Por isso, é essencial estabelecer metas viáveis. É praticamente impossível passar a dormir às nove da noite diariamente se na rotina atual você dorme às três da manhã. Programe, ao longo de algumas semanas, deitar-se na cama dez minutos mais cedo.

Quando eu era viciada — mesmo — em refrigerante, coloquei como meta beber em apenas uma refeição; depois, dia sim, dia não. Então, evoluí para beber apenas aos finais de semana, o que me fazia tomar Coca Zero no café da manhã de sábado. Em um sábado esqueci, depois por um final de semana inteiro, e hoje só tomo quando sinto vontade, o que dificilmente acontece mais do que uma vez por mês. Não tenho mais aquela "sede de Coca".

Na newsletter de junho da Bonita de Pele, hoje a maior comunidade de beleza do Brasil, a Jana falou sobre a paixão que adquiriu pelo spinning. Contou que tudo mudou quando ela virou fitness, em 2020, naquele período em que, sem vida social, ninguém tinha muita ideia de como passar o tempo. Disse que, quando eu a chamei para uma aula de bike, na época em que as coisas começaram a flexibilizar e as academias voltaram a funcionar, com as pessoas ainda meio distantes e de máscara, ela só queria mesmo qualquer oportunidade de encontrar outros seres humanos.

Antes do dia em que fiz a Jana girar a toalha ao som de Alok (sim, a aula tem um quê de balada), quando todas as academias estavam fechadas e eu já não suportava mais treinar por aplicativos, passamos a fazer muay thai juntas em uma pracinha. Estava muito frio, era muito cedo e minha motivação definitivamente não era me tornar uma lutadora profissional. O que me tirava da cama era saber que ia encontrar minha amiga, brincar com cachorrinhos e depois ir com ela ao supermercado, programa que, não julgue, amamos fazer juntas.

Não por acaso, o Chapadinhas de Endorfina é no plural. Sempre achei injusto que os homens tenham como programa com os amigos o futebol da quinta enquanto nossos encontros dificilmente envolvem atividades físicas. Ter uma parceira para a vida em movimento pode ser chave para tornar aquele momento mais gostoso, até ele se transformar em um hábito.

PARTE 4

Quanto dura o amor?

"Compreender o conhecimento como elemento essencial do amor é vital porque somos bombardeados diariamente com mensagens que nos dizem que o amor é sobre mistério, sobre o que não pode ser visto. Assistimos a filmes em que os apaixonados são retratados como aqueles que nunca conversaram, que se jogam na cama sem nunca ter discutido seus corpos e desejos, o que gostam e não gostam. A mensagem que recebemos da mídia em massa é que o conhecimento torna o amor menos atraente; que é a ignorância que dá ao amor seu lado erótico e transgressor. Essas mensagens são produzidas por produtores focados em lucrar que não fazem a menor ideia sobre a arte de amar, que impõem suas visões mistificadas porque realmente não sabem como retratar genuinamente a interação amorosa."

bell hooks, **Tudo sobre o amor: novas perspectivas**

Prazer

Em uma fonte cor-de-rosa de uma página de revista que eu escondia do meu irmão enquanto voltávamos da escola, li: "Criou fama, deita na cama", em referência a meninas que tinham transado no primeiro encontro e levariam para o túmulo a fama de "putas". Essa mesma revista, que eu corria para comprar na banca logo cedo às quintas-feiras para minhas amigas lerem comigo no recreio, me ensinou que a única possibilidade de perder a virgindade (conceito que hoje eu abomino) seria com um namorado que já estivesse com você há um bom tempo, afinal, se você "dá" para o cara o que ele quer de maneira fácil, ele pode ir embora. Desde quão novas relacionamos nosso prazer a possíveis punições?

Antes que eu me esqueça de explicar, o conceito de virgindade falha em muitos setores. Primeiro, porque muitas vezes apaga experiências não heterossexuais, resumindo sexo a penetração peniana. Também porque sustenta o pilar de que existem mulheres "puras". Lembre-se: o cristianismo nasceu literalmente do conceito de que apenas um "ventre virgem" poderia carregar o filho de Deus, inserindo vergonha e culpa em mulheres jovens sexualmente ativas. Por fim, a ideia da virgindade protegeu durante muito tempo os homens na nossa sociedade patriarcal. Como você saberia pedir o que lhe dá prazer na cama se sua única referência era aquele homem e a masturbação, um pecado? Muitas mulheres passam a vida praticando sexo medíocre com a crença masculina de que existe um sexo "limpo" a ser praticado com suas esposas, com objetivo único de procriação, e um sexo "safado" para fora de casa. Não é justo.

Tudo é rio é uma investigação sobre água, seus movimentos e tudo aquilo na vida que não se pode controlar. O romance escrito por Carla Madeira, que conta a história de um triângulo amoroso marcado pela falta, fechou a primeira temporada do Clube do Livro da Obvious em 2021, no qual todo mês reunimos virtualmente leitoras para debater obras escritas por mulheres.

Entrevistei a autora no episódio #130 do *Bom dia, Obvious*, que levou o nome do romance, e a primeira personagem que eu quis explorar foi Lucy, a prostituta que se orgulha do que faz. Na obra, Carla reflete: "Para toda a cidade isso era uma provocação sem tamanho, qualquer pessoa de bem tolera as putas, com a condição de sentir pena delas". A piedade é um bom disfarce para a inveja que sua liberdade causa nas mulheres que a xingam. A raiva também.

"Lucy nos coloca diante de um tabu social, a mulher nesse lugar da sexualidade fálica, com essa sexualidade do controle, no qual é ela que tem as rédeas. Essa face social de só permitir ter piedade e compaixão com as putas desde que elas estejam sofrendo revela muito da nossa sociedade em relação à dificuldade em deixar que a mulher tenha o gozo. Por que o gozo é uma coisa do masculino e o sacrifício do feminino?", questionou Carla.

Minha primeira memória de uma *sex tape* vazada foi a de uma menina que era de uma escola próxima à minha. Eu não devia ter mais do que dezesseis anos, nem ela, então que fique claro que estamos falando aqui sobre pornografia infantil. Capturada sem permissão pela webcam do quarto do rapaz, a história se tornou pauta em diversas famílias, inclusive na minha. Lembro-me da minha mãe deixando muito claro que a menina era uma vítima e o rapaz, que filmou e vazou o material sem consentimento, um criminoso.

Na manhã seguinte, cheguei ao colégio inflamada, somando-me às vozes que debatiam sobre o assunto, quando fui confrontada com um ar de superioridade por uma (não muito) amiga:

— O que você não sabe é que ela ia transar com outro menino que estava só esperando esse terminar. Eu não tenho pena dela, não, mereceu.

Na adolescência, nosso cérebro parece uma esponja — ou talvez tenha sido só o meu —, então cheguei em casa contando o que fui convencida de ser um contraponto para aquela história. Será que ela era tão vítima assim?

Sabe quando você vê nos olhos de quem a pôs no mundo que virá uma bronca fodida já no meio da sua fala? A revolta de uma mulher do signo de Áries veio com tudo. Minha mãe elevou o tom de voz para deixar bem claro que uma mulher pode transar com quantos caras ela quiser, pode até gravar um vídeo, mas, se aquilo é exposto sem o desejo dela, ainda mais sendo menor de idade, ela é, sim, uma vítima. Completou dizendo que estava decepcionada por eu cogitar por um segundo que aquela informação mudava qualquer coisa. Lição aprendida.

O que me impressiona até hoje é como seguimos nos lembrando e até definindo as mulheres que protagonizaram essas fitas por um momento de suas vidas, enquanto os homens são praticamente esquecidos. Ou você se lembra de quem estava na fita junto com a Pamela Anderson? Uma fala da atriz na série *Pam and Tommy*, que conta essa história, deixa isso bem claro: "Quando as pessoas virem essa fita, vão me chamar de vagabunda por ter transado com o meu marido na minha lua de mel, enquanto você vai ganhar tapinhas nas costas de 'mandou bem'".

Na primeira parte deste livro, em que falei sobre o episódio #19, "Sobre medo e coragem", exploramos a coragem relacionada à profissão da minha mãe, de se jogar de uma catapulta humana, escapar de virar almoço de um leão e até pular de um prédio, sendo que ela tinha medo de pegar o elevador quando eu era criança. Mas ela também foi corajosa ao falar sobre prazer no quadro "Elas só pensam nisso!", no *Fantástico*, em 2002. Se não lhe parece nada demais hoje, devo lembrar a você, ou informar, que a anatomia completa do clitóris só foi estudada em 1998, pela urologista australiana Helen O'Connell.

Com a palavra, Renata Ceribelli: "Não sei se foi a primeira vez que falaram na televisão que a mulher também transava por prazer, mas com certeza não se falava muito nisso. Estamos falando de quase trinta anos atrás", ela destaca. "Entrevistamos um sexólogo dizendo que a mulher também faz sexo por prazer, trai por prazer, que quando ela vai para a cama com um homem não é necessariamente por estar amando. Era meio inadmissível, porque a mulher só podia transar por amor. Até hoje existem mulheres que fazem o exercício de pensar que vão transar por amor porque, se for por outro motivo, elas acreditam que serão julgadas."

Quando esse quadro foi ao ar, eu tinha doze anos. Assisti com a minha mãe na sala de casa. Foi um privilégio poder ter diálogos abertos sobre prazer feminino em um momento tão chave da minha formação como mulher. E, sim, um ambiente familiar desses talvez explique minha naturalidade para falar sobre sexo e a criação da plataforma feminina e loja Prazer, Obvious.

Conversas corajosas mudam o mundo, só que o corpo e o prazer feminino são cercados de covardias. Eu estava na quarta série quando, durante uma aula em que a professora explicava a função do útero, um amiguinho levantou a mão lá no fundo da sala para perguntar: "Professora, mulher também goza?". As risadinhas foram à loucura, como você pode imaginar. Na época, eu me prendi mais à audácia dele em falar sobre gozar no meio da sala de aula, mal sabendo que o que levaria comigo seria a resposta da professora: "É claro que sim. A mulher se deita na cama para ter prazer, assim como o homem".

A psicanalista e terapeuta orgástica Mariana Stock participou do episódio #44 do *Bom Dia, Obvious*, chamado "Prazer feminino", o primeiro do especial Mês do Amor, em junho de 2020. Ela disse: "A educação sexual na escola é heterocissexista. Resume-se a colocar a camisinha em uma banana e depois falar sobre as ISTs (Infecções Sexualmente Transmissíveis), os perigos de engravidar". Gosto de uma analogia que complementa e ilustra o absurdo: educação sexual que só fala sobre IST é como uma escola de culinária que só fala sobre os perigos de intoxicação alimentar. Momentos em que professores saem desse roteiro preestabelecido infelizmente ainda são raros, por isso a abordagem atual sobre educação sexual resulta em pessoas deixando a experiência sem saber muito sobre o sexo em si. Consequentemente, elas recorrem à pornografia, aos amigos e a outras fontes menos confiáveis para aprender sobre sexo.

Enquanto as gerações anteriores tinham que ir a uma locadora ou cair nas graças de alguém que as presenteasse com uma fita VHS, hoje a pornografia está a um clique de distância e é a principal fonte de educação sexual da maior parte dos jovens. Aqui também mora metade da infelicidade das mulheres heterossexuais na cama e o nascimento do triste "sexo performático". Pelo menos as mulheres da minha geração já conseguem ver com clareza quando estão diante dele. Em uma pesquisa com a comunidade da Prazer, Obvious, foi listado "o que mais odiamos no sexo performático":

1. Precisar gemer fino para o cara achar que tá arrasando.
2. Aquele sexo tipo britadeira.
3. Perfil Galvão Bueno que fica narrando tudo.
4. Xingamentos pesados em sexo murcho.
5. Posições superestimadas tipo 69.

Um dos principais indicadores da falta de educação sexual é nossa ignorância sobre como funciona a libido. Todas as mensagens culturais nos fizeram acreditar que apenas um dos scripts é o normal: o casal que mal consegue tirar as mãos um do outro e que sempre explode de prazer de maneira incontrolável. Como se só o desejo espontâneo confirmasse a qualidade de uma relação.

Após notar, ao longo de décadas, que seus pacientes, particularmente mulheres em relacionamentos de longo prazo, muitas vezes demoravam um pouco para se aquecer, a terapeuta sexual clínica dra. Rosemary Basson deu início à destruição do mito da espontaneidade como opção única ao desejo.

Para descrever o intitulado "desejo responsivo", ela criou um diagrama circular mostrando que o sexo era cíclico: o desejo geralmente vem em resposta a outra coisa, como um toque ou uma conversa mais quente. Se o sexo for bom, até mesmo a lembrança dele pode se tornar motivação mais tarde. Só que precisamos eliminar a culpa que acompanha crer na ilusão de que relações de longo prazo conseguem sustentar, na rotina, o tesão do início.

A dra. Nagoski, a mesma que mudou minha relação com o estresse lá no primeiro capítulo, descobriu, em pesquisa, que 75% dos homens sentem desejo espontâneo, contra apenas 15% das mulheres. O que significa, em uma matemática básica, que apenas 25% dos homens contra uma vasta maioria das mulheres, 85% delas, não experimentam o desejo espontâneo, tido como "normal" na nossa sociedade. Em seu excelente TEDX de 2016, ela compara a libido feminina a um carro, o que chamou de modelo de controle duplo de resposta sexual.

Então, temos dois pedais: o acelerador e o freio. Eu mal posso acreditar que estou prestes a ficar tão íntima neste livro, mas respiro fundo e me uso de exemplo pelo bem da nação. Meu principal acelerador são conversas mais quentes (sim, tenho Vênus em gêmeos; ou seja, no amor, sou regida pela comunicação), mas para você pode ser algo mais sensorial, como um cheiro específico, ou até mais mental, como sua imaginação e fantasias. O mesmo funciona para o freio. No meu caso, o estresse é o maior deles. Se você não faz ideia de quais sejam os seus, pode ser que até hoje tenha estado mais preocupada com os aceleradores e os freios do seu parceiro ou parceira, e não com os seus.

Convoquei Marcela Mc Gowan, médica ginecologista e apresentadora do programa *Prazer, Feminino*, para exemplificar ainda melhor no *Bom dia, Obvious* #89, com o título "Libido: onde vive, do que se alimenta?". Ela trouxe a reflexão de que muitos desses freios são coletivos, já que a opressão da sexualidade feminina em nossa sociedade é muito grande: "Isso é um grande problema para as mulheres, nunca somos estimuladas a nos percebermos como seres desejantes, sempre fomos educadas a ser o objeto de desejo".

Quando o trabalho emocional transborda para as nossas relações mais íntimas, não são só as funções domésticas que entram em pauta, mas também nossas relações sexuais. Fingir um orgasmo também pode fazer parte do gerenciamento da autoestima e do bem-estar do outro. Me tira do sério como pode exigir tanta coragem uma mulher admitir que não teve um orgasmo enquanto grande parte dos homens sabe que vai gozar no que eles entendem como final.

Em um excelente episódio do podcast *Meu inconsciente coletivo*, a psicanalista Diana Corso diz para a jornalista Tati Bernardi: "Por que a gente idealiza tanto o tesão inicial? [...] No início, o outro é uma fantasia da gente, o amor é aquilo que sobrevive ao solipsismo sexual. É quando a gente começa a transar com o outro, não com a nossa fantasia. Pra que ficar se lamuriando tanto por essa parte inicial que tinha certo atletismo sexual, mas também certa solidão? Por que a gente idealiza tanto esse momento da paixão cinematográfica, que é tão cheia de inseguranças?".

Embora sejam relações consensuais, em que realmente queremos transar com nossos parceiros ou parceiras, muitas de nós não sentem desejo até que um carinho, toque ou mesmo fantasia esteja em andamento. Então, se você já passou por isso e se perguntou "o que há de errado comigo?", a resposta é simples: N-A-D-A. Você apenas não tem um interruptor de liga e desliga para o seu desejo. É animador saber que a libido pode aparecer inclusive no meio do ato. Você pode até estar com preguiça de começar, mas no meio não querer parar de jeito nenhum. (O que também parece uma descrição da minha relação com a corrida.)

Não à toa, criei o conceito *sexo esporte*, já que definitivamente não acordo todos os dias me sentindo a maior corredora, mas vou montando um cenário e no meio do treino me animo. A especialis-

"Isso é um grande problema para as mulheres, nunca somos estimuladas a nos percebermos como seres desejantes, sempre fomos educadas a ser o objeto de desejo."

ta em sexualidade e psicologia positiva Lua Menezes me convidou a refletir quando participei do seu podcast: A gente não planeja tantos outros momentos de prazer? Quando você vai viajar, não planeja para que tudo aconteça da melhor forma possível? Ou a viagem só valeria se fosse uma loucura de momento em que você compra uma passagem para o paraíso? Por que não pode planejar o sexo?

Um estudo publicado em 2011 coletando dados de setenta e uma mulheres heterossexuais sexualmente ativas descobriu que, embora todas as mulheres relatassem ter orgasmo em geral, principalmente durante o que chamamos erroneamente de "preliminares", 79% delas fingiam orgasmos durante o sexo vaginal com penetração mais de metade das vezes, sendo que 25% das entrevistadas fingiram 90% das vezes. O estudo descobriu que 66% das mulheres que fingiam relataram fazê-lo para acelerar a ejaculação do parceiro. Ainda mais direto ao ponto, 92% das mulheres relataram que sentiram muito fortemente que a técnica aumentou a autoestima de seu parceiro, o que 87% disseram ser o motivo de estarem fazendo isso em primeiro lugar.

Quando digo que é errado chamarmos de preliminares, é porque nossa cultura falocêntrica insiste em tentar nos convencer de que o sexo se inicia quando a penetração começa. Também dá a impressão de que é algo opcional. Como diz um post que adoro da Prazer, Obvious: preliminar não é entrada, é prato principal.

Um estudo conduzido pela marca de preservativos Durex notou que 30% dos homens acham que a melhor maneira de ajudar uma mulher a atingir o orgasmo é através de atos sexuais penetrantes, enquanto mais da metade das mulheres apontou o estímulo clitoriano como a forma de chegar lá. Um momento de compaixão por todas as mulheres que já se relacionaram com parceiros que duvidavam que o sexo sem pênis fosse realmente satisfatório.

Se ele não consegue imaginar prazer sem penetração, você definitivamente transou mal.

Preliminar é (via @prazerobvious):
1. Tirar o pet do quarto.
2. Tirar os óculos.
3. Escolher a playlist.
4. Pegar água e deixar na cabeceira.
5. Falar "vamos deitar?".

No já citado episódio #87, em que falamos sobre as desculpas desnecessárias que pedimos, Louise Madeira trouxe fingir orgasmo para a mesa: "Pode imaginar algo mais patético do que uma mulher fazendo sexo com um homem que está mandando mal, e ela não só não reclama como finge o prazer para cuidar da autoestima dele, que não conseguiu fazer sua parte?", pergunta, indignada. "Olha a que ponto chega o pedido de desculpas. Você não fez, eu deveria estar chateada, mas não só não vou te avisar como vou fazer de conta que você é um superparceiro sexual. E não estou falando de século ou ano passado, mas de São Paulo, 2021."

De acordo com um estudo de 2016 da *Arquivos de Comportamento Sexual*, que analisou mais de 52.500 adultos nos Estados Unidos — incluindo lésbicas, gays e bissexuais —, 95% dos homens heterossexuais relataram que geralmente ou sempre têm orgasmos durante o sexo em comparação com 65% das mulheres heterossexuais, com probabilidade menor. Ou seja, os homens heterossexuais foram os mais propensos a dizer que geralmente tinham orgasmos cada vez que transavam (95%), seguidos por homens gays (89%), homens bissexuais (88%), mulheres lésbicas (86%), mulheres bissexuais (66%) e, por último, mulheres heterossexuais (65%).

A filósofa, escritora e professora italiana Silvia Federici, conhecida especialmente pelo seu livro *Calibã e a bruxa*, afirma em um artigo que "são sempre as mulheres que mais sofrem com o caráter esquizofrênico das relações sexuais, não só porque chegamos ao final do dia com mais trabalho e mais preocupações em nossos ombros, mas porque também temos a responsabilidade de tornar a experiência sexual prazerosa para o homem. É por isso que as mulheres geralmente são menos responsivas sexualmente. O dever de agradar está tão embutido em nossa sexualidade que aprendemos a ter prazer em dar prazer, em deixar os homens excitados".

Eu não poderia concordar mais. A cada dia que passa, fica mais claro para mim que a maneira como somos educadas sexualmente é para usar o sexo como moeda de conquista. Por isso é comum ouvirmos mulheres dizerem que, depois de um ano de relação, já nem ligam se estão transando ou não. A ginecologista Marcela Mc Gowan brinca: "Teu corpo vai falar 'Eu vou me levantar dessa cama para fazer um esforço descomunal para receber nadinha em troca?! Não vou mesmo'". Só que, se você passou um ano colocando seus desejos em segundo plano, priorizando o prazer do outro para ser a mulher boazinha até na cama, gostando apenas do que o outro gosta e, com sorte, deixando seu gozo para os momentos sozinha, você perdeu a chance de construir um sexo muito bom a dois.

Eu gosto de dizer meio rindo, meio a sério, que fingir um orgasmo é o ato de menor sororidade possível: como assim, você vai entregar para uma próxima esse homem que acredita ser capaz de dar um orgasmo quando na verdade não é? É claro que os motivos pelos quais fingimos orgasmo são extremamente individuais, mas não dá para negar: em uma sociedade em que o sexo ainda é centrado no prazer masculino, o que acontece em momentos de intimidade, em muitas relações heterossexuais, é que temos o trabalho emocional de não ferir o ego masculino.

Demorei muito até conseguir confiar nas minhas vozes internas. Como era tomada por pensamentos intrusivos, acabei entrando em ciladas, como as vezes em que transei porque queria carinho e outras em que suportei carinhos desnecessários porque não queria admitir para mim mesma que queria só transar e ir embora. Muitas de nós temos essa autocensura, que dificilmente vai ser desconstruída se não estivermos extremamente conscientes; afinal, a maneira mais eficaz de controlar as mulheres é convencê-las a se controlarem. Outra magnífica forma de controle é nos ensinar que existe apenas um corpo que desperta tesão.

A publicidade, o pornô, as propagandas implantaram em nosso inconsciente que o prazer está atrelado a certo padrão estético, só que uma das poucas certezas que tenho hoje é que a cabeça fritando é inimiga do prazer. Não tem como relaxar, gozar e curtir se você está preocupada, pensando se aquela posição está favorecendo visualmente seu corpo. Mariana Stock lembrou no podcast que "é essencial ter consciência de que vivemos em uma cultura misógina em que as mulheres são programadas para se odiarem porque somos odiadas em nossa naturalidade, enquanto os homens estão submetidos a uma cultura em que eles só podem desejar um tipo de mulher, que não existe. É uma construção difícil, que está feita para ninguém se satisfazer nunca, é um jogo perdido".

Segundo uma pesquisa do instituto Sophia Mind, 54% das mulheres brasileiras estão insatisfeitas com alguma parte de seus corpos. Surpreendendo um total de zero mulheres, temos um dado de pesquisa da USP de que 55% das brasileiras não têm orgasmos durante o sexo com seus parceiros. Por isso eu considero a revolução dos vibradores tão forte para a nossa cultura quanto a da pílula anticoncepcional. Assim como pudemos escolher quando e se queríamos engravidar, passamos a ser muito mais donas dos nossos orgasmos quando bullets e sugadores entraram em nossas vidas.

Inclusive, existe o genial conceito de *masturbação preventiva*, criado pela editora de conteúdo da Obvious, Thais Cézare. Consiste basicamente em se perguntar: Eu quero mesmo ir nesse date ou estou apenas com tesão? Masturbe-se, elimine essa energia, e então se questione novamente se sair para jantar com seu ex lixo vai realmente valer a pena.

Essa é uma daquelas pautas em que a diferença entre os gêneros é realmente gritante. Se você pensar em filmes como *American Pie*, a masturbação masculina está tão naturalizada que tem até valor cômico. Enquanto a ideia das mulheres se masturbarem ou é hiperssexualizada, servindo de fetiche para olhares masculinos, ou é hiperproblematizada, como se fosse errada e até suja. Lembro-me de assistir a um episódio do talk show da comediante americana Chelsea Handler em que ela dizia que seu ritual de higiene do sono era fumar um, se masturbar e dormir. Foi um deleite pessoal ouvir alguém tratar com tamanha naturalidade o que não passa de um ato enorme de autoamor.

Mesmo aquelas que já se sentem confortáveis podem encontrar obstáculos no meio do caminho: masturbar-se estando em uma relação é sinal de crise? Se eu comprar um vibrador, vou mexer com a autoestima do meu parceiro ou parceira? Vamos combinar que beira o irracional crer que o outro seria um mágico capaz de satisfazer absolutamente todas as nossas necessidades sexuais em todos os momentos da vida. Aliás, para os homens que realmente acreditam que o vibrador é um concorrente, pelo amor de Deus, essa competição não existe, o vibrador já ganhou.

Piadas à parte, os chamados sex toys garantiram às mulheres algo que antes estava reservado apenas para os homens: quase uma certeza absoluta de que o orgasmo vai acontecer. Não me leve a mal, não acho que um sugador de clitóris substitui o sexo, não mesmo, mas acredito que ele pode ser um grande aliado nos momentos a dois, não só para potencializar o sexo, mas também para nos conhecermos o suficiente para expressar o que desejamos na hora do prazer.

Se a falta de educação é a barreira número um para o nosso bem-estar sexual, a vergonha vem em segundo lugar, e a medalha de bronze fica para a falta de diálogo. Um estudo publicado em 2019 confirma esse pódio, trazendo um tanto de esperança ao revelar que as mulheres que chegavam ao orgasmo com maior frequência eram as mais propensas a pedir o que queriam no sexo, elogiar seu(sua) parceiro(a) por algo que fizeram na cama, provocar com ligações e e-mails ao longo do dia e falar durante o sexo. Em resumo: comunicação, vulnerabilidade e honestidade são as palavras que faltam para vencer a lacuna do orgasmo.

Não existe ser bom ou ruim de cama, o importante são os envolvidos terem diálogo aberto para se conhecerem a ponto de um saber o que o outro gosta ou não gosta. Uma analogia boa para entender isso seria a de cozinhar para alguém pela primeira vez: você não pergunta quais temperos o outro aprecia? No sexo, desconstrução é saber o que você gosta, o que não gosta e não ter vergonha de dizer isso para o outro.

Não tenho a menor dúvida de que a comunicação é a melhor das preliminares: como dois corpos podem se conhecer apenas intuitivamente? Marcela Mc Gowan pondera que ambos os gêneros precisam derrubar o mito de que conversar sobre sexo o torna menos interessante: "As pessoas acham que os homens falam muito abertamente sobre sexo, mas eles falam abertamente sobre performance. Eles não falam sobre a dificuldade diante uma relação, sobre o que eles fantasiam e querem. Eles falam sobre 'comi tantas pessoas, fiz tantas coisas'".

Libido, desejo e o que nos leva a um orgasmo mudam muito ao longo de nossa vida. O que não muda é o benefício do bem-estar sexual. E muito além do gozo, viu? Estou falando sobre enxergar o sexo como uma maneira de conhecer nossos desejos e confiar em nós mesmas. Sabe aquela dose de autoconfiança que um sexo verdadeiramente prazeroso traz? Imagine se você se sentisse assim toda vez que entrasse em uma reunião importante. Uma vida sexual ativa e saudável influencia na autoconfiança, e estar segura é crucial para nossa criatividade.

Antes de partirmos para o próximo capítulo, convido você a refletir sobre quais são suas fantasias atuais e o que precisa fazer para elas se realizarem. Papel, caneta, privacidade, e vai. Como já disse, não precisa ser nada muito elaborado. Permitir-se conhecer suas fantasias é deixar os pensamentos entrar sem autojulgamentos. Este deve ser o único não convidado para os nossos momentos de prazer.

Amor é ação

Cecília e Nino se conhecem em uma festa. Depois de uma noite de conversas e sexo intenso, estão completamente entregues à paixão. Eles passam a morar juntos. Talvez tenham filhos. Só que esse script não conta uma história de amor, apenas o começo dela. O que vem depois? Estamos constantemente orientados, e até obcecados, pelo percurso até o encontro de um par; mas se o que se quer na maioria das vezes é uma relação de longo prazo, por que não tratamos com a mesma importância a sobrevivência dela?

Ao pensar em grandes histórias românticas, visualizamos os momentos de paixão: os frios na barriga do início, diálogos marcantes que acontecem logo antes de o livro acabar ou de os créditos do filme subirem. O que acontece bem depois dos créditos é que a gente se apaixona pelas novas versões do outro ou luta para conhecê-las e entendê-las. Quem disser que a melhor parte da relação é sempre o início vai entrar em uma discussão boa comigo: a melhor parte da relação precisa ser o momento presente. Para mim, essa é uma boa história de amor.

Insistimos em tentar colocar a paixão como a raiz do amor, mas eu acredito que, apesar de o amor ser menos intenso, dentro dele existem momentos de paixão. Por isso gosto muito da teoria da psicóloga e professora americana Barbara Fredricson, na qual ela faz a divisão entre o amor que é sentimento e o amor que é emoção.

O amor-emoção acontece quando vivenciamos juntos, e simultaneamente, uma emoção positiva. Está no almoço de família e gargalhou da piada do seu avô com a sua prima? Amor-emoção. Acolheu sua melhor amiga após um pé na bunda? Sua empatia e o amor que ela sente por você quando a coloca no banho ao som de "All Too Well", da Taylor Swift, fazem parte do amor-emoção. A psicóloga chama esse ato de "ressonância emocional positiva", já que compartilhar esse amor faz com que nos sintamos um só.

Muito bonito; mas outra característica importante dele é que é passageiro. Assim como grande parte das nossas emoções, o amor-emoção dura em média noventa segundos. Já o amor-sentimento é resultado do acúmulo de micromomentos de ressonância positiva, provando que amor é mesmo ação.

Depois de ler sobre o trabalho de Fredricson, refleti sobre quanto consideramos o amor-emoção algo exclusivo dos momentos de paixão, quando investimos nossa energia para ter esses momentos de cultivo priorizando tempo de qualidade juntos. Então, para nos apaixonar dentro de uma relação, precisamos investir em momentos que permitam que a ressonância emocional positiva aconteça. Para mim, a melhor definição de amor é aquela que nos faz enxergá-lo como ação, uma coleção de atos que demonstram cumplicidade, carinho, respeito e confiança.

O amor nos é vendido como uma estrada lisa durante um pôr do sol com vento no rosto quando na verdade, mesmo nas relações mais saudáveis, está mais para uma estrada sinuosa, com alguns buracos a serem desviados, mas que surpreende quando em algumas curvas entrega vistas de tirar o fôlego. Venderam-nos também a ideia de que existe um par perfeito, e caímos no erro de esquecer que a grama é sempre mais verde onde você rega: tudo que não é cuidado morre.

Alain de Botton, escritor que trata da filosofia da vida cotidiana e fundador da The School of Life, insiste que as pessoas se casam para engarrafar a alegria que sentem no momento da paixão, mas é impossível congelar aquela sensação porque, novamente: o tempo passa, as pessoas mudam. Ele complementa: "Precisamos trocar a visão romântica por uma conscientização trágica (e às vezes cômica) de que todo ser humano irá nos frustrar, irritar, enraivecer, enlouquecer e decepcionar — e faremos o mesmo (sem qualquer maldade) com eles. Escolher com quem nos comprometer é meramente um caso de identificar por qual variedade particular de sofrimento mais provavelmente nos sacrificaríamos".

No começo de 2022, percebi que já tínhamos falado bastante no programa sobre ser solteira, como superar um término e até como conquistar, mas faltava um episódio sobre fazer um relacionamento durar. Com uma coleção de posts seus salvos em minha pasta de favoritos do Instagram, não tive dúvida de que a melhor pessoa para falar sobre o assunto seria a psicanalista e escritora Ana Suy, a quem convidei para participar do episódio #131, "Quanto dura o amor?".

Logo no início da conversa, Ana citou uma das perguntas do psicanalista Lacan: Poderíamos amar se não conhecêssemos a palavra amor? Esse questionamento me abalou um tanto, porque é verdade que, quando damos nomes às coisas, elas passam a ter significados limitantes.

Ana afirma que vivemos em uma sociedade viciada em paixão, só que do tipo incinerante, que nos mantém alheios a nós e até aos outros, por isso é essencialmente narcísica: eu me amo através do outro. Relacionando isso à reflexão de que, na sociedade do cancelamento, somos incapazes de lidar com falhas e diferenças, ela diz: "Quando tem alguma coisa da ordem de perturbação, eu destituo o outro por completo para não ter o trabalho de falar por mim mesmo, de colocar ali algo da ordem da minha diferença. Só que é disso que o amor se faz, é justamente da possibilidade de sustentar as diferenças, porque na melhor das hipóteses elas existem; quando não existem, na verdade é muito mais problemático".

Os gregos antigos tinham uma boa compreensão de entrada *versus* saída de um relacionamento de longo prazo, com sua visão "pedagógica" do amor. Eles entendiam que um casal nada mais era do que um experimento de educação, no qual as pessoas tentam ensinar umas às outras como se tornar a melhor versão de si mesmas. Ainda vou citar bastante a esplêndida autora bell hooks nesta parte do livro. Uma de suas ideias que mais me marcou fala sobre a importância de perceber o amor como a vontade de nutrir o próprio crescimento espiritual e o do outro por meio de atos de cuidado, respeito e responsabilidade.

Em uma tarde que eu tirei para arrumar meu armário, ouvi uma entrevista do Alain de Botton para o podcast *How To Fail* [Como fracassar], que, como o nome deixa claro, fala sobre momentos em que dá tudo errado. Larguei uma gaveta no meio para ouvir com atenção o trecho em que ele dizia que a nossa sociedade transformou o perfeccionismo em um ideal para todas as áreas da vida, inclusive os relacionamentos.

Uma única pessoa, ao mesmo tempo, não será a melhor parceira de viagem, terá o mesmo paladar que você, será boa de cama, tratará muito bem sua família, será generosa, estará sempre disponível, e o que mais você quiser incluir nessa lista. Alain conclui afirmando que grande parte das vezes que achamos que a pessoa não é certa para nós, é porque nos iludimos acreditando que o outro precisa ser perfeito, sendo que nem nós somos. Aliás, ninguém é.

Não gosto quando ouço que, se você quer uma relação, tem que baixar suas expectativas. Prefiro pensar que podemos reavaliá-las, já que, para mim, a questão central está em colocar em uma caixi-

"É disso que o amor se faz, é justamente da possibilidade de sustentar as diferenças, porque na melhor das hipóteses elas existem; quando não existem, na verdade é muito mais problemático."

nha o que é normal ou não dentro de uma relação. Por exemplo, só é amor verdadeiro se for completamente imune ao convívio?

Eu não saberia citar todas as amizades destruídas porque os amigos resolveram ir morar juntos; inclusive, brinco que, se eu quisesse acabar logo com uma amizade, convidaria a pessoa para morar comigo. Só que, no amor, superar esses mesmos desafios que no âmbito das amizades fazem a gente rapidamente ir procurar um novo lugar para morar é visto como uma prova.

Recentemente, Louise Madeira falou em seu podcast *New Me* sobre o amor ser essa convivência perigosa. Ela diz isso complementando que, se um casal não tem conflitos, é porque alguém está perdendo; amar é saber negociar. O que eu aprendi, nos tempos de convivência extrema a que o isolamento nos forçou, é que devemos cuidar da relação como cuidamos da nossa saúde: criando espaços para rituais na rotina, estando atenta aos sinais, fazendo-se presente, sabendo negociar e aprendendo a escutar. A convivência pode, sim, destruir, mas por aqui eu sei que, nos últimos anos, após algumas demolições, soubemos reconstruir algo ainda mais bonito.

Se você tivesse que aceitar o fato de que seu parceiro ou parceira nunca mudaria, continuaria nessa relação? No terceiro capítulo de *Tudo sobre o amor*, bell hooks diz: "Somos ensinados desde a infância que não devemos mentir, que devemos jogar limpo. Entretanto, na prática, quem diz a verdade normalmente é punido, reforçando a ideia de que mentir é melhor. Homens mentem para agradar às mães e depois às mulheres. Mentir e se dar bem é um traço da masculinidade patriarcal". Completa, então, com os efeitos disso nas mulheres: "Nós também mentimos para os homens como forma de agradar".

Não gosto de separar homens e mulheres, acho que existem casos em que os papéis se invertem independentemente de gênero, devido à infeliz posição de serviçais em que as mulheres são colocadas na sociedade; faz muito parte do nosso processo de conquista nos colocarmos como um objeto desejante. É até um pouco tragicômico: sei de mulheres que vão para um encontro e, quando o outro diz que ama algo, ela se apressa a dizer que ama também.

Por "sei de mulheres" entenda como eu mesma. Tenho uma boa história sobre uma viagem em que acampei como bom exemplo disso, já que me coloquei em um relacionamento vendendo-me como uma pessoa que não sou. Minhas necessidades básicas precisam ocorrer em sanitários com descarga, definitivamente. Tentar ser a paixão do outro fingindo ser apaixonante é montar belas armadilhas para o futuro.

A psicanalista Ana Suy, já citada, disse no podcast que nosso apaixonamento pelo outro tem a ver justamente com a diferença. Eu já ouvi o contrário, que nos apaixonamos por aquilo que vemos no outro e temos em nós, ou aquilo que gostaríamos de ter. Em ambos os casos, a reflexão dela funciona: "No fundo, a gente não sabe o que espera do outro. Na psicanálise, a gente fala que desejo igual é desejo inapreensível, quando quero algo que não sei o que é, mas mesmo assim exijo esse desconhecido do outro".

Nenhum relacionamento é 100% confortável o tempo inteiro. Quando chega perto disso, é comum confessarmos que estamos desanimadas porque perdeu o tesão do início. Buscamos conforto a todo custo, mas queremos grandes momentos de paixão de filme. Enfim, coerentes, né? Vejo que muitas de nós amamos mais a adrenalina da paixão avassaladora do que de fato queremos um amor duradouro que traga tranquilidade. Afinal, a calma de um amor tranquilo é para todo mundo? Meus cachorros, mesmo, deixam claro que o desejo nasce da falta. Aqui em casa, os brinquedos ficam jogados na sala (parabéns para você que tem pets e sua casa parece o *Pinterest*), mas, para desejarem os brinquedos, eu preciso pegar, fingir que eles não podem ter, para então aquilo que estava jogado em um canto passar a ter valor.

A psicóloga, educadora e terapeuta sexual Ana Canosa é apresentadora do podcast *Sexoterapia* e me deu a honra de conversar com ela no *Bom dia, Obvious* #46, "O amor romântico existe?". Falando sobre sexo de reconciliação, no qual transformamos a raiva em tesão, Ana diz que as pessoas muito movidas por essa descarga de dopamina da briga e ameaça de separação geralmente têm isso gravado na memória corporal. "Por exemplo, pessoas que tiveram história de familiares com muita discussão, aquela adrenalina na briga fica quase que marcada no seu organismo. Ou elas vão para o lado oposto do conflito e aceitam tudo, ou reproduzem conflitos, porque é a maneira como se acostumaram a viver."

Tive esse debate recentemente com alguns amigos. Comentei que um dos sintomas desse comportamento é que, não raras vezes, vejo pessoas cavando brigas em relacionamentos estáveis para viver de novo o momento da conquista. Sim, sexo de reconciliação pode ser delicioso, transferir a raiva para a excitação pode render uma noite memorável, mas é preciso usar com moderação.

É amor ou dependência emocional?

Tudo sobre o amor é mais do que apenas um livro. Sua leitura é uma jornada para trocar as lentes pelas quais enxergamos nossas relações, oferecendo novas maneiras de pensar sobre amar. É daquelas obras que você consulta para o resto da vida.

A infância da autora foi repleta de casos de violência e abuso que, pela ótica de seus pais, eram atos de amor e proteção. Essas experiências moldaram profundamente a forma como ela passou a definir seu amor-próprio, como um sentimento conectado ao medo e ao entendimento da maneira como o amor pode ou deve ser manifestado em seus relacionamentos. "Muitas vezes, as mulheres acreditam que perdoar e suportar indelicadeza ou crueldade são sinais de compromisso, uma expressão de amor", ela constata. "Na verdade, quando amamos corretamente, sabemos que a resposta saudável e amorosa à crueldade e ao abuso está em nos colocar fora de perigo."

O termo "relação tóxica", como muitos outros, foi usado no ambiente virtual até quase esvaziar seu sentido, mas relacionar-se com pessoas emocionalmente instáveis, abusivas e imprevisíveis pode nos fazer perder o senso de identidade. Aqui estão alguns sinais de que ansiedade é um sentimento que não abandona seu relacionamento, e por isso talvez o melhor seja abandoná-lo:

- Preferir dizer que está errada (mesmo sabendo que está certa!) em qualquer discussão por medo de possíveis ameaças de término.
- Temer por situações sociais com seus amigos e família, nas quais eles poderiam perceber as microagressões que você sofre.
- Tomar extremo cuidado com suas palavras e ações, já que qualquer "erro" pode levar à explosão total.
- Sentir-se responsável pela felicidade plena do outro em áreas da vida das quais você não tem o menor controle (culpa sua não ter vaga no shopping? Pera lá...).
- Os humores são sempre imprevisíveis, você nunca sabe qual personalidade vai encontrar no dia — e teme que seja aquela que a faz sentir-se péssima sobre si mesma.

Muito do que toleramos nas relações tem a ver com as dinâmicas absorvidas no núcleo familiar, que nos educa sobre como o amor deve ser. Isso me lembra aquela frase linda do filme *As vantagens de ser invisível*, que se tornou um clichê, mas que (juro!) antes disso eu usei para terminar um relacionamento no qual sentia muito do que listei ali em cima: a gente aceita o amor que acha que merece.

No episódio #110 do *Bom dia, Obvious*, "Amor ou dependência emocional", convidei a comunicadora Dandara Pagu para nos aprofundarmos nesse tema. "Quando você apanha do seu pai e da sua mãe, obviamente eles não passam vinte e quatro horas batendo em você, mas eles batem num momento e depois te dão um beijo para você ir dormir. Então você começa a normalizar a violência porque você pensa 'poxa, eles me batem, mas eles me amam', e aí você vai para o relacionamento e começa a dizer 'normal, minha mãe me batia também e me amava'."

Não é difícil imaginar que quem vive relacionamentos abusivos tem chance de acabar sendo abusivo em relações futuras, então você precisa tratar isso, porque facilmente pode engatilhar um ciclo de repetição. Não necessariamente no amor, mas nas pessoas que você mais ama. É aquela história: se você não se curar do que a feriu, vai sangrar em cima de pessoas que não a cortaram.

    Se a simples ideia de uma vida sem o outro faz parar o coração e você sente que todas as suas necessidades emocionais dependem dos esforços desse par, estamos encarando sintomas de dependência emocional. Há quem diga, inclusive, que o maior problema dos relacionamentos é que não podemos ser nós mesmas até o medo de perder o outro ter desaparecido. Claro, a ideia de um término pode vir acompanhada de tristeza, mas estou falando sobre a visão de que, se o outro deixar de existir, a sua vida deixará de fazer sentido.

    Pode ser difícil perceber que o amor migrou de um lugar saudável para outro doentio, onde uma pessoa se anula para agradar à outra. Aprender a encontrar forças para nos mantermos em pé sozinhas, bem como para mantermos a plenitude dentro de nós, independentemente de outra pessoa, é um dos atos mais importantes e corajosos que podemos fazer por nós mesmas. Talvez o grande passo que devemos dar seja nos tornarmos a pessoa que desejamos que o outro seja para nós.

A dependência emocional é um prato cheio para cair em chantagens emocionais que podem nos fazer acreditar que nunca mais seremos amadas. O fantasma da solidão assombra tanto que podemos até esquecer que existia uma vida antes do outro. Como diz a gigante Nina Simone na música "You've got to learn", "você tem de aprender a sair da mesa quando o amor já não está sendo servido".

    Em um excelente post do Instagram da Obvious da jornalista Isabella von Haydin para a Obvious, ela listou coisas que não parecem, mas também são chantagem emocional:

- Quando te culpam pela sua reação a algo que te fizeram de negativo.
- Quando cobram consolo por terem te magoado.
  - Quando a situação se inverte e você é quem acaba pedindo desculpas.
  - Quando as coisas do outro se tornam mais importantes que as suas.
  - Quando suas dores, medos e inseguranças são diminuídos.
  - Quando o outro faz você começar a duvidar de si.

Se fizermos um paralelo com dependências químicas, estamos falando da outra pessoa ser o elemento tóxico de que precisamos nos libertar. Até porque quem está em relacionamentos assim vive em constante insegurança, estresse e ansiedade. Só que, bem como em muitas dependências, mesmo consciente de tudo isso que falamos, uma vez separados, pode existir uma angústia grande que nos faz, inclusive, querer voltar para a pessoa. Uma verdadeira crise de abstinência.

A dependência emocional vem de um medo profundo de rejeição decorrente do abandono interior; passamos a procurar a segurança no outro quando não existe lugar mais seguro do que dentro de nós. O medo de ficar sozinha é a maior armadilha feminina para permanecer em relacionamentos tóxicos.

É realmente muito difícil romper, porque envolve toda a nossa construção com nossos vínculos desde muito novas, e o quanto eles nos deixaram seguras. Mesmo que me faça mal, sei que pelo menos tem alguém ali por mim. O amor pode ser muitas coisas, mas medo, definitivamente, está fora da sua essência. O temor de viver sem aquela pessoa faz com que muitas acreditem que vão naufragar por completo. Passamos, então, a criar narrativas lunáticas de que aquilo é uma fase, que vamos conseguir mudá-lo.

A apresentadora de TV, repórter e atriz Laura Vicente falou sobre isso no episódio #99, "SOS fossa", com toda a sua sensibilidade e inteligência: "É muito importante abrir os olhos e perceber quando estamos passando por cima de nós mesmas para tentar mudar uma outra pessoa, em características que às vezes nem ela está interessada em mudar. Porque isso faz com que a gente caia em umas armadilhas de uns relacionamentos", ela constata. "Eu já passei por cima de mim levantando essa bandeira do 'eu acredito no amor; esse relacionamento já foi legal; essa pessoa pode mudar; a gente precisa tentar...', só que isso pode nos levar a uns lugares muito perigosos."

Para construir uma relação saudável e duradoura, é preciso estar confiante em quem você é, quais são seus limites, seus verdadeiros desejos e necessidades. Vi minha mãe sair de dois casamentos com uma coragem que acho que falhou em chegar em mim via cordão umbilical, mas que me inspira diariamente. Quando perguntei de onde veio a força para sair dessas relações, ela respondeu com uma frase que espero que vire também seu mantra: "Terminei os casamentos porque meu pacto é com a felicidade".

"É muito importante abrir os olhos e perceber quando estamos passando por cima de nós mesmas para tentar mudar uma outra pessoa, em características que às vezes nem ela está interessada em mudar."

Monogamia é bom pra quem?

Escrevi o título deste capítulo com um sorriso no canto da boca de quem sabe que trouxe a polêmica para a mesa. Desde muito novas recebemos por todos os lados a mensagem de que, quando encontrarmos nosso verdadeiro amor, seremos enfim felizes. Esse amor sempre no singular: a alma gêmea, o amor da sua vida, o príncipe (ou princesa) encantado(a).

Através da análise de dados do Google, uma pesquisa de 2021 revelou os fetiches sexuais mais buscados no Brasil combinando mais de 763 mil pesquisas mensais. Em primeiro lugar está o BDSM (conjunto de práticas consensuais envolvendo Bondage, Disciplina, Dominação, Submissão, Sadismo e Masoquismo), em segundo *cuckold* (prática em que um homem sente tesão ao ver sua parceira transando com outras pessoas) e em terceiro o *ménage à trois* (sexo entre três ou mais pessoas). Chega a ser irônico que a mesma sociedade que prega a monogamia como a maneira natural de se relacionar, em seus momentos privados deseja ter mais de uma pessoa na cama.

Trazendo um pouco de história para esta conversa, não sei se você sabe, mas o casamento monogâmico homem-mulher é uma reação ao surgimento da propriedade privada, que estabeleceu as bases do capitalismo e do patriarcado. Isso porque o homem podia deter propriedades e precisava garantir que fossem passadas adiante para seus herdeiros, então a ideia do casamento monogâmico surgiu como forma de garantir quem seriam seus descendentes em tempos sem teste de DNA. Doido, né?

Historiadores e biólogos evolucionistas dizem que a monogamia é um sistema relativamente novo e autoimposto: evidências sugerem que os humanos viveram sem ela por mais de 250 mil anos. E só começamos a nos casar por amor em 1700. Esse assunto também fez parte da conversa com Ana Canosa no episódio #46, "O amor romântico existe?", já comentada.

Canosa citou o livro *Sexo com reis*, da autora Eleanor Herman, que trata de como a presença de uma amante real era fundamental em uma realidade na qual os reis se casavam por acordos de conveniência. "A amante real tinha uma importância fundamental para manter o rei apaixonado. O rei a escolhia, era com quem ele ia se deitar, ter encontros eróticos, e às vezes eles trocavam de amantes, com a necessidade de ter desejo por alguém com quem estava envolvido."

Ela conta, inclusive, o caso de um rei russo que amava a rainha e mesmo assim precisou colocar uma amante real no castelo porque era o que se esperava do macho, por toda a construção da sexualidade masculina. "O amor romântico como um modo de desejar e querer bem a alguém sempre existiu, mas ele no sentido de instituição, de um modo de funcionar a conjugalidade, é muito específico do século XIX, quando o amor passou a ter importância sublime para o casamento."

Quando falamos sobre formatos de relações, entendemos que o amor como o conhecemos é a maneira correta porque "sempre foi assim", mas aprendi com Valeska Zanello, citada no capítulo "A prateleira do amor", que, assim que a monogamia se tornou fundamental, chancelada pela igreja, surgiram também os bordéis, inclusive públicos. Então, enquanto as mulheres teriam sempre um mesmo par, os homens tinham como direito básico estar com outros pares.

QUANTO DURA O AMOR?

Penso, então, que a monogamia foi uma prescrição para as mulheres, não só em tempos de reis, mas na nossa história mais recente. Quantos homens casados há muitos anos e que sempre traíram você conhece? Debater a monogamia na nossa sociedade é discutir a liberdade do desejo feminino. É preciso deixar de lado a ideia romântica do casamento que persiste há duzentos e cinquenta anos no Ocidente: de que o ser perfeito é aquele que consegue atender a todas as nossas necessidades e satisfazer todos os nossos desejos por toda a nossa vida. Parece exaustivo, né?

Calma: a monogamia tem sido muito boa para mim até agora, e confio se você me disser que está *muito bem, obrigada* nesse formato de relação. Não é porque você está em uma relação monogâmica que não deve entender sobre as origens da monogamia. Trazer luz para o assunto é se certificar de que essa decisão é um desejo seu, e não algo compulsório.

Quando falo sobre o momento presente, é porque tenho certeza de que os acordos de relações não têm renovação automática nos mesmos termos por tempo indeterminado. As pessoas mudam, os momentos de vida também. Por isso digo que estou em uma relação monogâmica, mas não necessariamente serei monogâmica para todo o sempre.

Como a cultura nos mostrou desde muito cedo que o amor diz respeito a encontrar uma alma gêmea que nos fará felizes para sempre, ou, mais do que isso, encontrar uma relação que faça as duas pessoas envolvidas ficarem felizes para sempre ao mesmo tempo, pode ser realmente desafiador sair da caverna e cogitar um amor que não seja monogâmico. Até porque a monogamia parece o formato mais aconchegante e menos violento para a nossa autoconfiança.

Isto aqui não é uma campanha por relações abertas, mas um convite para, antes de repetir discursos tidos como "normais", entender do que verdadeiramente se trata abrir uma relação. Acredito que o episódio #117, com a empresária, colunista e podcaster Mayumi Sato, sob o nome "E se eu não for monogâmica?", cumpre perfeitamente esse papel.

"Quando a gente se apaixona, é pelo outro por inteiro; a gente gosta do jeito que ele é, do jeito que ele se relaciona com os amigos, dos lugares que ele vai e dos interesses que ele tem. E, depois que a paixão se concretiza em uma relação, muitas pessoas entram em um caminho de querer 'podar' essa pessoa. Então você vai cortando as liberdades dessa pessoa na tentativa de colocar ela em um lugar seguro pra você, só que esse movimento também a afasta de quem ela era quando vocês se apaixonaram", ela argumentou.

Também acho perigoso o estereótipo de que relacionamento aberto é algo de jovem ou até "moderninho", sendo que existem diversos casamentos de pessoas muito mais velhas que são abertos há muito tempo e vão muito bem. Precisamos eliminar a ideia de que é uma contravenção e não apenas só mais uma forma de se relacionar.

Na verdade, existem duas coisas que, isoladas, não salvam relações que já estão aos pedaços e talvez possam até ajudá-las a desmoronar de vez. Essas coisas são abrir o relacionamento ou fazer *ménage*. Eu suplico: só abram a relação se ambos os lados estiverem verdadeiramente confortáveis com isso. É de extrema falta de respeito consigo mesma ignorar seus desconfortos apenas para não ficar sozinha. Na dúvida se deveria abrir a relação, a primeira pergunta que você precisa se fazer é: Isso é um desejo verdadeiramente meu ou estou passando por cima dos meus limites apenas para manter o outro por perto?

"O pessoal de relações livres diz 'quem é das relações livres aceita a impermanência dos sentimentos'. O problema da monogamia é que tentamos lutar contra essa impermanência para manter a permanência, a pessoa fica tentando encontrar aquele sentimento de volta, sendo que é muito difícil. Questionar a monogamia como o único modelo de relacionamento é importante, acho que o modelo monogâmico não é para todo mundo", falou Ana. "Hoje

"O problema da monogamia é que tentamos lutar contra essa impermanência para manter a permanência, a pessoa fica tentando encontrar aquele sentimento de volta, sendo que é muito difícil. Questionar a monogamia como o único modelo de relacionamento é importante, acho que o modelo monogâmico não é para todo mundo."

você pode ser monogâmico e amanhã não ser mais, a vida e os desejos vão mudando. Poliamor, relações abertas, são maneiras que eu penso que os casais encontram para negociar a falta de desejo e apaixonamento exclusivo por uma pessoa só. Acho que tem gente que se dá superbem com a monogamia, não acho que ela vá acabar e talvez tenha gente que viva ela por períodos."

Mesmo decidindo que a não monogamia definitivamente não é para você, acho interessante aprender com os outros formatos de relação. Estudos mostram que os casais em relações de poliamor necessariamente se comunicam mais, justamente por precisarem estar sempre de acordo. Assim como muitas pessoas defendem que o maior aprendizado de BDSM é sobre comunicação, a constante preocupação em saber se o outro está confortável.

No já citado episódio #44, a psicanalista Mariana Stock comentou que o problema da monogamia é a ideia de que é compulsória, e que os ideais românticos do relacionamento estão invariavelmente fadados ao fracasso. "Achar que para você ser boa precisa de um complemento é o começo do fim. O que move o desejo é a falta, eu preciso me ver como ser faltante para continuar desejando o outro. O que faço quando caso? Assino um contrato de propriedade, o outro é meu e eu sou do outro. Então não há falta, nem espaço para o desejo. O problema das relações monogâmicas é isso não ser discutido. As pessoas perdem a vontade de transar porque perdem a individualidade. Manter a individualidade no relacionamento é a garantia de que o desejo possa circular na relação", ela explicou.

O psiquiatra Morgan Scott Peck, em seu artigo "O Caminho Menos Percorrido", fala sobre a importância de abandonar um mito externo idealizado porque este se torna um terceiro integrante da relação. Ele diz que a solução está na maturidade das individualidades, quando cada um sabe onde está, sem dependência estrutural um do outro. Apesar de ser uma questão complexa e culturalmente difícil, fica claro que muito do sucesso de um relacionamento está em como tratamos nossas próprias características e necessidades.

Scott então completa derrubando por terra a ideia do mito do amor romântico como o conhecemos, dizendo que, "como psiquiatra, o meu coração chora quase todos os dias pela horrível confusão e sofrimento que este mito gera. Milhões de pessoas desperdiçam enormes quantidades de energia tentando desesperada e inutilmente fazer com que a realidade de suas vidas se ajuste à realidade do mito".

Sai de mim, ciúmes

Traições são, ao mesmo tempo, o pesadelo das relações e uma das principais causas de separação. Mesmo assim, a reação mais comum quando falamos sobre relações não monogâmicas é a clássica "eu não aguentaria, morreria de ciúmes", como se as relações monogâmicas estivessem livres desse sentimento. O que define a verdadeira traição é extremamente individual, e existem traições inclusive em relações não monogâmicas, só que nelas os acordos não são subentendidos, e sim debatidos. A não monogamia realmente não é para todo mundo. Mas a monogamia também não.

Será que é melhor lidar com o incômodo da certeza de que o outro não está só com você, mas está sendo honesto sobre isso, ou com a desconfiança de que talvez ele esteja com outras pessoas e mentindo para você? É aqui que adentramos o grande museu de sentimentos não nobres: logo ali, à esquerda, vocês encontram rancor e inveja; à direita, encontramos o nosso caso de estudo de hoje: o ciúme. Temos quase ou nada de controle sobre ele, mas esse monstrinho chega como um incômodo físico, uma sensação de menos-valia, um mix de raiva com *meu deus, eu não queria estar sentindo isso.*

Cada pessoa sabe onde o ciúme bate: às vezes, tem a ver com posse, outras tantas, com inseguranças pessoais. Ciúmes da amiga, do namorado, do brinquedo. Sim, a criança interior pode chegar dando estrelinhas e nos derrubar com força em situações em que dá vontade de gritar: "É meu e de mais ninguém". Botando essa criança para ninar e lembrando que o controle é, na maior parte das vezes, uma sensação falsa, entendemos que a posse é um telhado de vidro que pode ser destruído com a simples lembrança de que, não importa quanto ciúme você sente, o outro tem total domínio sobre as próprias ações.

No *Bom dia, Obvious* #108, o assunto era procrastinação (calma, a parte 5 deste livro já está chegando), ou, mais exatamente, "O que a procrastinação diz sobre a sua insegurança", mas a psicóloga Catharine Rosas traçou um paralelo com o ciúme, já que ambos possuem camadas mais profundas do que as que podemos ver.

"O que a terapia cognitiva comportamental fala sobre o ciúme é que ele é uma emoção natural e que todos nós somos passíveis de ter. O problema vem quando o ciúme traz comportamentos prejudiciais para outra pessoa e para você", Catharine comenta. "Tudo bem se estou sentindo ciúme, ele está ali isolado e uma hora vai embora, a depender de como vou manusear isso. A questão se torna problemática quando desenvolvo outros hábitos, como *stalkear*, ter a vida social anulada, porque fico focada no telefone, procurando saber onde ele está", explicou.

Thais Cézare, editora de conteúdo da Obvious, se pegou experimentando esse terrível sentimento quando pediram a indicação do curso de psicanálise que ela tinha feito. Autoconsciente que só ela, driblou a questão a ponto de não só dividir o nome do curso, mas de escrever sobre o ocorrido em uma newsletter. Ela lembra que o ciúme é um afeto como outro qualquer, mas que, para alguns teóricos, funciona como uma variação da ansiedade.

Para mim faz todo o sentido, já que grande parte dos gatilhos do ciúme não vem de acontecimentos reais. Se você pensar que o medo quase sempre está mais baseado em fantasias da nossa cabeça do que em fatos concretos, o ciúme também pode ser estimulado por mentiras que você conta a si mesma. Para a psicanálise, todo ciúme tem sua origem no inconsciente, as nossas vivências externas servem apenas como gatilhos para ativar cargas emocionais que estão dentro da gente. Thais me enviou um estudo psicanalítico que divide o ciúme em três tipos.

O primeiro deles é o normal, ou competitivo, estimulado pelo medo de perder algo que amamos. Em palavras bonitas e psicanalíticas, é quando "o indivíduo experimenta a dor narcísica da perda de um objeto, oscilando entre o luto e a sensação de abandono". Sendo totalmente passível de ser elaborado (haja terapia!) e até ressignificado. Calma, chegarei ao segundo e ao terceiro tipo, mas preciso me estender um pouco sobre cada um deles.

Falando sobre relações amorosas, é nesse primeiro tipo de ciúme que o medo de abandono se manifesta em seu lugar mais violento. Sinto que passei por uma reabilitação da maneira mais difícil: o cara de quem senti mais ciúme na vida foi o que acabou me traindo feio. Seja melhor que eu e não espere o pior acontecer para entender que é triste demais viver uma relação aguardando o momento em que o outro vai trocá-la. Lembre-se de que você também pode ir embora, e, meu amor, a perda é toda do outro.

Esse caminho de evolução andou lado a lado com a minha relação mais importante, a que tenho comigo mesma. Toni Morrison, no livro *O olho mais azul*, diz que o amor nunca é melhor que o amante. Segundo a escritora, quem é mau ama com maldade, o violento ama com violência, o fraco ama com fraqueza, gente estúpida ama com estupidez. Como meu medo de abandono era tamanho a ponto de me definir, eu amava com ansiedade e insegurança.

Passada toda a dor, essa experiência me fez entender que ciúme é um sentimento inútil na relação, só serve para antecipar o sofrimento por algo que, se for para acontecer, vai acontecer. Nenhum montante de ciúme vai dar a garantia de que o outro será fiel.

Resolvi chamar a Thais para participar do episódio #88 do *Bom Dia, Obvious*, "Sai de mim, ciúmes". "Um dos maiores perigos são justamente as fantasias. Sim, o ciúme fala sobre uma perda, e essa perda pode ser tanto real como imaginária, e você pode, sim, perder ou terminar com alguma pessoa, mas, na maioria das vezes, essas perdas são imaginárias. Não é realmente a iminência da pessoa na sua vida que te causa o ciúme, são perdas imaginárias", ela explicou.

Um agravante que alimenta esses fantasmas em nossa cabeça certamente é a competitividade feminina, que é reforçada em novelas, séries e livros. Como se o homem fosse uma vítima daquela mulher fatal, né? Ainda sobre relações heterossexuais, não gosto de alimentar a crença de que as mulheres têm sexto sentido para traição, porque serve de ração para paranoia, especialmente porque o ciúme, no homem, às vezes é tratado como confirmação do seu amor, enquanto na mulher é visto como falta de sanidade mental.

O segundo tipo de ciúme (pronto, cheguei a ele) é o projetado, quando o nosso próprio desejo é representado no outro. Você com certeza conhece alguém que sofria com um namorado ou namorada extremamente ciumento(a), mas acabou descobrindo que, no fim das contas, o traidor era quem sentia ciúme. Eu me lembro também de um amigo que, ao chegar de uma festa em que tinha acabado de quase trair (o que para mim é mais traição do que se de fato tivesse se concretizado, já que manter essa tensão sexual pode exigir mais envolvimento do que sexo em si), disse-me ter tido a "intuição" de que o namorado estava trocando mensagens com outro cara.

Quando comentei com a Thais que a citaria no livro, ela disse que se arrependia de não ter citado no episódio o terceiro tipo de ciúme, o delirante. Esse nível avançado dificulta muito as relações, uma vez que nos pegamos mais focadas nas nossas próprias emoções do que na realidade apresentada.

Há um bom tempo, fiquei com um cara até ele começar a namorar. Eu o encontrava em festas acompanhado e ele nem me cumprimentava. Achava meio estranho, mas, àquela altura, já estava mais preocupada com um outro carinha (que era um lixo — meu livro, meu *exposed*, ok?) com quem vivia uma montanha-russa de emoções. Um dia, recebi uma mensagem desse meu ex-ficante me chamando para tomar uma cerveja, e já sabia por amigos em comum que ele estava solteiro.

    Chegando lá, ele contou que a ex tinha tanto ciúme e falava tanto sobre mim que não restou dúvida de que eu precisava ser a primeira pessoa com quem ele tentaria ficar depois dela. Disse que sempre esteve completamente apaixonado por ela, que nem pensava em mim, mas que ela chamava tanto a atenção dele para mim que ele pensou que talvez devesse me valorizar tanto quanto ela. Quer dizer, sabe aquela história do seu ex ficar logo com a menina que você tinha mais ciúme? Talvez não seja sua intuição, você pode tê-la tornado o objeto de desejo dele. Essa história não foi para a frente, mas decidi que jamais insistiria ou encanaria com alguma outra mulher enquanto estivesse em um relacionamento.

Vai tratar ficante como ficante, sim

Você já se relacionou com alguém que parecia inacessível emocionalmente enquanto você estava pronta para se entregar por completo? Ou você era quem queria se isolar ao máximo porque o outro parecia estar demandando mais intimidade do que você gostaria? A investigação sobre por que algumas pessoas, mesmo se amando, não conseguem sustentar uma relação estável, ou por que estamos repetidamente caindo nos mesmos erros em diferentes relações, pode se beneficiar — e muito — da Teoria do Apego.

Criada pelo psicanalista John Bowlby nos anos 1940, ela explica como as nossas relações com os cuidadores durante a infância influenciam o modo como criamos vínculos ao longo da vida. Posteriormente, a psicóloga Mary Ainsworth estendeu a pesquisa aos relacionamentos românticos, elaborando tipos de apego: o seguro, o ansioso (ou ambivalente), e o evitativo. Então, vamos a eles.

O apego seguro é caracterizado pela tendência a ter opiniões positivas sobre si mesmo e sobre seus parceiros, sendo sua principal característica o fato de que se sentem confortáveis tanto com a intimidade quanto com a independência. As pessoas premiadas com esse tipo de apego relatam maior satisfação e harmonia em seus relacionamentos do que aquelas com outros estilos de apego. Será que vende na Shopee? Quem me ajudou a entender como a teoria se aplica na prática foi a maravilhosa comunicadora e pesquisadora de amor e relacionamentos do canal Amores Possíveis, Carol Tilkian, no episódio #122, que tem o nome deste capítulo.

"A gente pode e deve exercitar o apego seguro em outras relações que não sejam as românticas, porque, muito provavelmente, a maioria das pessoas não tem esse tipo. A pessoa do apego seguro consegue sustentar os silêncios e as distâncias, então acho que, mais do que ser monogâmico ou não, ela aprende a distância, que é uma desconstrução do amor romântico muito importante", ela explicou.

Quando comecei a ler sobre o segundo tipo de apego, o ambivalente, enxerguei uma fotografia de mim mesma em relações anteriores, muito diferente de quem eu sou hoje. Pego emprestado, inclusive, um trecho de um artigo da própria Carol para o UOL, que explica: "Os inseguros ambivalentes sofrem com insegurança e medo de abandono. Eles podem desenvolver dependência afetiva e estar sempre à espera de um desastre. Na idade adulta, desejam relações muito fortes, mas morrem de medo de serem deixados ou trocados. Então, toda vez que o crush não os coloca como prioridade e, por exemplo, sai com os amigos, se sentem abandonados, e isso gera um ressentimento. Resultado: quando o crush reaparece, agarram com força total (e mini sufocam), mas também rola uma raivinha oculta, daí vem o ambivalente".

Ainda no podcast, a Carol comentou que o apego ambivalente pode decorrer de algum trauma de infância — como aquele dia em que seu pai esqueceu você na escola e chegou meia hora depois. "Aquilo te dá uma sensação de abandono que pode reverberar até hoje e provavelmente vai gerar esse apego que você nunca sabe se a pessoa estará disponível. Pensando nas relações amorosas, isso faz com que a gente seja muito ansiosa, querendo definições o quanto antes."

Relacionar-se de forma saudável corresponde à nossa busca por proximidade com pessoas que nos deem segurança e calma, mas lidar com tipos de apego conflitantes com o nosso pode trazer exatamente o oposto: insegurança e angústia. A terceira categoria de apego é o evitativo, também chamado de "descartante", sentido por pessoas indisponíveis emocionalmente. Pode ser uma fase, claro, mas quantas vezes não nos vemos apaixonadas por quem parece inacessível na intimidade?

O apego evitante pode, sim, ser o daquele crush lixo que não tem a menor responsabilidade emocional; mas é bem comum termos fases em que autossabotamos nossas relações por puro medo, nos afastando quando sentimos que estão entrando em nossa intimidade, cismando com defeitos irrelevantes para não seguir adiante, fazendo a manutenção de outros crushes como plano de fuga ou evitando qualquer programação que nos comprometa a longo prazo, tipo conhecer a família ou uma viagem de Réveillon.

Carol complementa maravilhosamente bem: "A gente tem que sempre pensar que são duas faces do medo, então o evitante se fecha como defesa, ele não se fecha porque é ferrado. O evitante é uma pessoa que quer ter controle da situação, então ela prefere ficar sozinha porque tem controle dela, mas ao mesmo tempo fala 'ah, eu queria me apaixonar também, queria uma conchinha fixa, eu queria um frio na barriga'".

Mas nada de tornar seu tipo de apego o novo "a culpa é do meu signo", vamos fugir do determinismo. Você pode vir de uma relação problemática cercada de traições que a fazia ter um apego ambivalente e construir uma relação que a faça ter apego seguro. Nossos padrões de relacionamento podem e — muitas vezes — devem mudar ao longo do tempo. bell hooks comenta também sobre isso em *Tudo sobre o amor*. E, se ela acredita, eu também estou nessa.

"Levei anos para deixar de lado os padrões de comportamento aprendidos que negavam minha capacidade de dar e receber amor. Um padrão que tornava a prática do amor especialmente difícil era minha constante escolha de estar com homens emocionalmente feridos, que não estavam tão interessados em amar, embora desejassem ser amados", ela conta. "Eu queria conhecer o amor, mas tinha medo de ser íntima. Ao escolher homens que não estavam interessados em ser amorosos, pude praticar o ato de dar amor, mas sempre dentro de um contexto insatisfatório. Naturalmente, minha necessidade de receber amor não foi atendida."

Uma reflexão muito boa que a Carol trouxe no episódio foi a ideia de que o apego evitativo pode ser visto ou entendido não só como algo individual, mas também como um estilo coletivo de lidar com as relações: "A gente está vivendo tempos evitativos, supervalorizando a nossa individualidade. Pode ser porque estamos muito machucados de tantos encontros e desencontros amorosos nos quais não elaboramos os lutos das relações. Se você se separou de um casamento de doze anos, está autorizado a sofrer, mas se terminou com seu ficante de dois meses, jamais. Aí vai e abre o Tinder de novo, quando talvez devesse viver o luto daquela experiência que poderia ter sido".

Como você já deve ter ouvido por aí, responsabilidade afetiva não é sobre reciprocidade. Também não é um pedido desesperado por amor, é uma exigência básica sobre respeito. Em algum momento tolo, decidimos que um relacionamento amoroso só poderia ser definido como tal quando atravessasse o portal do "pedido oficial". Podia ser mais parecido com as amizades, né? Em que basta gostar, estar junto, se importar, que pronto: temos uma amizade ali.

Só que ter contatos diários, abrir sua intimidade e alimentar expectativas podem até não configurar um relacionamento sério, mas devem, sim, carregar a preocupação com os sentimentos do outro. Ou deveriam carregar, inclusive no momento de cortar esse laço. Desaparecer sem qualquer comunicação ganhou o nome chique de *ghosting*, mas é uma baita covardia.

O copo vazio, da psiquiatra e escritora Natália Timmerman, foi a obra que abriu a primeira temporada do nosso Clube do Livro on-

-line. A narrativa central do romance é entre Mirella e Pedro, que a abandona de forma prematura sem comunicações oficiais. Todo fim é um tipo de luto, mas a fossa do amor não vivido é maior do que a daquele a que assistimos aos poucos chegar ao fim. No episódio #111 do podcast, "O vazio de um *ghosting*", ela falou sobre isso.

"Quando alguém some de repente, fica esse vazio que o título ecoa: *O copo vazio*. A gente não consegue lidar muito com o vazio, ele dura pouco. A gente é esse vazio, mas está se preenchendo o tempo todo, e o desejo nasce dele. A gente precisa de algo não correspondido, algo não preenchido, algo não garantido para conseguir se manter desejante, para conseguir sustentar esse lugar. Desejo realizado é desejo morto. A gente precisa de vazio para reinaugurar desejos. Isso faz a gente pulsar, se movimentar", descreveu.

Para Natália, esses amores são envernizados pelo nunca, e a dor fica, em grande parte, pelo futuro imaginado que não será realizado. Tudo aquilo que imaginamos que viveríamos com a pessoa morre da noite para o dia e somos obrigadas a recalcular a rota, por isso precisamos partir da certeza de que o futuro não existe, só existem o passado e o agora.

Direto do fundo do poço

Sensação de que o chão não lhe dá mais base. Dor no peito, confusão mental, estômago revirando. Para algumas pessoas pode até parecer certo exagero, mas adianto que você só saberá a dor da fossa depois que passar por uma. Não subestime esse sofrimento e o tempo necessário para se reerguer: um rompimento é uma perda, não apenas do relacionamento, mas também dos planos e dos sonhos que compartilhamos um dia.

Nossa rotina parece ficar de cabeça para baixo, especialmente se seus finais de semana eram preenchidos por eventos familiares e amigos em comum. Essa transformação abrupta pode parecer esmagadora, dando início a uma montanha-russa que intercala momentos de euforia, ao sair e amar toda a liberdade, e de chorar a ponto de gritar no travesseiro. Não existe fórmula mágica, mas, como alguém que tem lugar de fala, trago boas notícias para quem está sofrendo no momento: vai p-a-s-s-a-r.

Um tempero amargo surge de uma inquietação de tentar prever os próximos passos. Mas o auge da dor não é a hora de planejar, e sim de levar a sério a máxima de viver um dia de cada vez. Colhemos também infelizes frutos caso tenhamos construído uma relação na qual não nutrimos nossas individualidades, fazendo parecer que perdemos parte de quem somos. Um estudo de 2010 da Universidade de Northwestern descobriu que rompimentos obscurecem nosso senso de identidade.

Se você já sentiu que a dor emocional era tamanha que parecia física, acertou. Segundo um artigo publicado na revista *Psychology Today*, a rejeição social ativa a mesma região do cérebro que lida com as reações à dor física, nosso cérebro as processa como lesões em nosso corpo. Pior: uma razão pela qual muitas vezes é tão difícil "superar" um ex-parceiro é que, neurologicamente, essa experiência é análoga à retirada de uma droga viciante.

O processo é muito pessoal, mas não adianta ter pressa para se livrar dessa angústia, o melhor que se pode fazer é deixar-se sentir. Não somos minhas fossas e eu que estamos afirmando isso, e sim duas especialistas. A primeira delas é a psicóloga Sandra Baldacci, que enviou um áudio para o nosso primeiro episódio sobre fossa, o #7, "Direto do fundo do poço".

De acordo com Sandra, depois de um término, é importante não ter pressa em superá-lo, pois, quando tentamos demais esquecer alguém, acabamos por manter a pessoa em nosso pensamento, em vez de nos libertarmos dela. O ideal é dar tempo ao tempo: "Deixem as coisas acontecerem aos poucos, sem se preocupar em esquecer, deixar as coisas fluindo e tentar retomar sua vida, fazer coisas que te ajudem na sua autoestima, que dizem respeito ao seu autocuidado [...]. E nos momentos de recaída, não se preocupe, pode chorar sem culpa, é normal sentir saudades, aos poucos nós iremos retomar as nossas vidas e muitas coisas boas que estavam esquecidas podem retornar também".

Fomos educadas a fugir do sofrimento. É aquela coisa: a criança começa a chorar, todo mundo corre para fazê-la parar. A fossa é um processo. Assim, quando você foge da melancolia, acaba ficando mais triste. "Aprendi com o mar que onda grande se atravessa mergulhando", foi a frase que viralizou a página *Caixa de Saída*, da publicitária Cristina Rioto, com quem conversei no episódio #141: "Pra onde vai o não dito?". Tentar ignorar a dor no momento em que deve ser sentida pode nos fazer carregá-la conosco por muito mais tempo.

A segunda especialista em sofrimento amoroso que faz coro com essa crença é Duda Beat, que também participou do episódio #7. Ela inclusive produziu um disco falando sobre seus problemas de amores não correspondidos: "A maior dica que eu poderia dar para alguém que está na fossa, está sofrendo com isso, é viver totalmente o luto. O fundo do poço pode ser até um pouco chocante, mas é importante você viver a sua tristeza, para chegar um belo dia e você decidir que não quer mais ser triste, ter força total para levantar. A gente sempre sai do fundo do poço melhor e mais forte do que quando entramos". Outra dica dela com a qual eu concordo 100% é começar a traçar novos planos, como guardar dinheiro para viajar, realizar algum sonho que estava engavetado.

Quando eu ainda estava em posição fetal, perdendo o ar de tanto chorar, lembro-me claramente da minha amiga Juliana abrindo a porta do meu quarto e, com todo amor e cumplicidade, me avisando que "chega, vai tomar um banho e, quando você sair, vamos planejar nosso Ano-Novo na Bahia, bem lindas e extremamente solteiras". Foi o melhor Réveillon das nossas vidas.

Quando a gente fala sobre o pós-término, ou a boa fossa, muitos dizem que podemos traçar um paralelo com os estágios do luto. O primeiro deles é a negação, que muda de acordo com qual cadeira você está ocupando. Tenho a teoria de que quem termina sofre antes do término e quem toma o pé na bunda sofre depois. A fase da negação daquele que termina é o momento em que se sente aliviado, para depois, possivelmente, vir um caminhão de emoções. Já quem é terminado vive ao pé da letra o "não é possível, isso não está acontecendo comigo".

Passado um primeiro momento de choque, para mim é essencial eliminar possíveis gatilhos. É inevitável sentir que tudo ao redor lembra o amor perdido, mas podemos mudar os cenários — literalmente. Alterar as cores das paredes, trocar os quadros, os móveis de lugar. Transformar aquele espaço físico em algo só seu, que ele ou ela nunca viram. Também evito ao máximo escutar as mesmas músicas ou assistir às mesmas séries, minhas memórias estão frescas demais para eu alimentar com gatilhos que vão me deixar aos prantos novamente.

A parte operacional pode ser tão difícil quanto a dor em si, tanto que duas mulheres lançaram, em Nova York, o Onward, um "concierge de términos", como uma assessoria para fins de relacionamentos. A partir de noventa e nove dólares, elas oferecem auxílio para as burocracias que ficam quando o parceiro vai embora: mudança de residência, reestruturação financeira, busca por um terapeuta — e até recomendação de móveis ideais para solteiros.

Casa pronta, chegou a hora de abrir seus olhos para o fato de que existe muita vida lá fora. É natural, como seres humanos, nos fecharmos em uma bolha, então, para mim, é chave sair com pessoas e ir a lugares novos. Quem sabe a galera do samba não é infinitamente mais legal do que a galera do eletrônico, de que seu parceiro gostava tanto?

Quando a gente chega na segunda fase desse luto, vem a raiva. Quem acompanhou a Laura Vicente no episódio #99, sobre fossa, do qual já falamos, foi ninguém menos que a cantora e atriz Letícia Novaes, conhecida como Letrux. Há, inclusive, um trecho de uma música dela, "Contanto até que", que explica perfeitamente esse momento: "Vim pra Botafogo no seu bairro e eu vim pra botar fogo no seu quarto".

Apesar da letra furiosa, Letícia diz que nunca fez muita loucura: "Eu não sou a pessoa que chuta coisas, eu não sou a pessoa que fala alto. Quando eu estou muito mal, eu durmo embrionada, volto ao útero. Nunca fiz nada de 'botar fogo na casa de alguém', não sou dada a grandes gestos assim de raiva, a raiva me dá uma coisa meio de ficar triste, melancolia...".

Diferente dela, eu sou bem capaz de dar socos, é por isso que a endorfina entra em campo nesse momento e o muay thai é meu maior aliado. Soco, chute, gritos. É nessa hora que meu lado Chapadinha de Endorfina me traz certa racionalidade. Se a tristeza é química, eu vou rebater fazendo exercícios e soltando hormônios da felicidade. Corta para: eu chorando no meio da aula de spinning ao ouvir "Nothing Compares 2 U" versão remix.

Outra teoria chama essa fase de delírio lunático. Dizem que, assim como você perde todo o pensamento racional ao se apaixonar, seus sentidos abandonam as premissas racionais com o fim da relação. Nesse estágio, você diz e faz merdas que de outra forma não faria, se estivesse em seu estado perfeito. O delírio também combina com situações hipotéticas que a gente cria na cabeça. Por exemplo: se eu dirigir pelo quarteirão dele, talvez a gente se encontre e ele perceba que, na verdade, errou em terminar. Pode acontecer? Difícil? Essa história é autobiográfica? Não falei isso!

O que também potencializa tudo isso é que muitas vezes sentimos tudo em dobro: estamos com raiva por estarmos com raiva, ficamos tristes por estarmos tristes, e por aí vai. Talvez o segredo seja apenas sentir uma emoção de cada vez, sem nos julgarmos pelo que estamos sentindo.

Então entramos na fase da barganha, quando começamos a elaborar cenários hipotéticos de negociação com o nosso sofrimento. Também é nessa fase que, se você tomar um gole de vinho, precisa manter seu celular bem afastado para não mandar aquela mensagem. Pode ser tentador, mas abrace o período de recolhimento e resista às redes sociais. Nada, eu digo nada, pode sair de bom ao checar as páginas do ou da ex. Uma amiga recentemente me pediu para mudar a senha do Instagram dela e mantê-la prisioneira até ela ter saúde mental para retornar à rede. Tenha amigos que se tornem verdadeiros aliados nesses momentos.

Letrux contou que teve como principal apoio em um término um amigo que também tinha se separado na mesma época. Eram ligações diárias lembrando que "do chão a gente não passa", além de coisas básicas do tipo "coma, se alimente, tome banho". Ela diz que era quase como uma performance, mas que a ajudou muito.

Em um post da Obvious com o qual eu gargalhei de rir, a sempre hilária Dani Nogerino, criativa na agência, fez um guia pós-término para ajudar sua amiga:

- Clone o celular dela durante a noite e bloqueie o ou a ex em todas as redes sociais.
- Faça montagens dela junto com galãs e deusas da TV brasileira.
- Envie um vibrador delivery para que ela chore por cima e por baixo.
- Mande um "trava zap" para que ela não mande mensagens para ex-ficantes horripilantes.
- Corte a energia da casa dela durante a noite para que não tenha nenhuma recaída.

Para ultrapassar o estágio de constante agonia, a especialista Sheri Meyers recomenda colocar-se em uma "dieta da obsessão". Ela sugere que, a cada uma hora, você tire dez minutos para ficar obcecada, escrever, ouvir músicas que a fazem pensar no ex, chorar, gritar e ter autopiedade o quanto quiser. Depois disso, você precisa voltar ao normal e esperar até a próxima janela. "Se você está tentando quebrar o hábito de pensar no seu parceiro, dar a si mesmo cinco minutos por dia o ajuda a perceber que você pode controlar seu pensamento. É uma forma de canalizar o desejo e também sentir a sensação de controle", ela explica. Permita-se.

A nostalgia nesses momentos pode ser sua pior inimiga, já que é comum nos lembrarmos apenas dos melhores momentos que vivemos um com o outro. Minha sugestão é escrever em algum lugar visível quatro situações em que seu ou sua ex a magoou, ou, nessas horas, pedir ajuda para alguém que a acolheu recordá-la. Pode ser especialmente difícil acessar essas memórias quando tudo que queremos é voltar.

Letrux cita no episódio a atriz e escritora — maravilhosa — Alessandra Colasanti: "Nós somos emocionalistas. As que sentem, mas seguem". Então você sentiu, mas bora seguir. Apesar de você precisar de tempo para se sentir melhor, pode ser reconfortante, nessa etapa, rever a estrutura da sua vida. Relacionamentos, como já falei, dão trabalho e ocupam espaço e tempo. Com o que você poderia preencher esse vazio?

Entre trancos e barrancos, sempre tive para mim a máxima de que o amor da minha vida (nessas horas é útil acreditar nesse conceito) não estaria fazendo aquilo comigo. Um traço que coloca mais dor nesses momentos é uma certa miopia, já que não conseguimos enxergar nada além do ocorrido. Precisamos ampliar nossas perspectivas, recordar como já sobrevivemos a outros términos. Se for seu primeiro, garanto que grande parte das pessoas que você vê felizes já passou por isso e que ninguém morre de amor.

Recebi a cantora Manu Gavassi, muito antes de qualquer xepa ou estaleca de *BBB*, no *Bom dia, Obvious* #11, "Direto do fundo do poço", para conversarmos sobre as dores desse período. E se há algo que pode aliviar esse momento é saber que mulheres incrivelmente maravilhosas em muitos sentidos já estiveram no seu lugar.

Manu comentou sobre a importância de se conscientizar de que a sua vida existia antes dessa pessoa, independentemente de quão longa ou quão marcante tenha sido essa relação. "As pessoas deixam marcas na nossa vida, fazem parte do nosso processo de evolução, mas temos que tentar olhar para isso de uma maneira mais madura, não é caso de vida ou morte, não pode ser uma dependência." Ela, então, compara com a relação com amigos: "Amizades da vida inteira têm um puta valor, às vezes muito mais que o relacionamento, e vão ficar para o resto da sua vida. E, quando você se afasta um pouco de um amigo, está tudo certo. São fases, você se afasta, depois volta, você guarda com carinho aquela fase em que aquele amigo esteve ao seu lado. Por que nos descabelar, enlouquecer, quando olhamos para um relacionamento amoroso? Tem que encarar o fechamento do ciclo".

Por falar em amizade, foi a minha amiga Taissa Buratta quem me ajudou com um tipo de mantra para os dias em que a dor parecia maior do que eu poderia dar conta. Ela sugeriu que eu me imaginasse na praia, vendo um barco partindo pela costa; um barco que parece muito grande quando eu o visualizo. Esse barco seria a minha dor, só que ele vai se afastando da costa e, quanto mais se afasta, menor fica, até sumir. Resumo da história: tenha paciência, o que parece muito grande agora vai ficar muito pequeno. Sempre.

A única saída é através, amores melhores virão.

PARTE 5

Confie no seu processo

"O futuro não é real, é abstrato. O agora é tudo que temos. Um agora após o outro. O agora é onde devemos viver. Há bilhões de versões diferentes de você mais velho, mas só uma versão sua no presente. Concentre-se nela. Talvez não exista um jeito certo de ser feliz. Talvez existam apenas talvezes. Se, como disse Emily Dickinson, 'o pra sempre é composto de agoras', talvez os agoras sejam feitos de talvezes. Talvez a grande questão da vida seja desistir das certezas e aceitar a bela incerteza da vida."

Matt Haig,
Observações sobre um planeta nervoso

Trinta fracassos antes dos trinta

Entendo muito o pavor da minha cachorra Maria Rita em relação à chuva: imagina se você não soubesse que é um fenômeno natural? Ou, pior, se não soubesse que a chuva passa e se perguntasse se a partir daquele momento aquilo seria a vida para sempre? Estudos mostram que os cachorros têm dificuldade em entender a finitude das situações, por isso comemoram a sua chegada em casa como se fosse um milagre. E é por isso também que, se você solta fogos, não seremos amigas jamais. Chuva não está dentro dos muitos possíveis medos que eu posso tentar adivinhar que você tenha, mas fracassar está no topo das minhas suposições. E aí, acertei?

"Se você não for ao baile, nunca será rejeitada, mas também nunca poderá dançar." A icônica frase da escritora Maeve Binchy, citada em *O caminho do artista*, nos lembra que só não fracassa quem não se arrisca. E quem não arrisca também não se diverte. Mas, para além de danças e decepções que nos tornam quem somos tanto quanto sonhos realizados, muitas vezes os fracassos ensinam mais que as vitórias. Assim como críticas podem dar mais vontade de evoluir que elogios. Muitos ganhos vêm fantasiados de perdas porque, não raro, as grandes lições são fruto de dores que podem até parecer o fim da linha.

No episódio #116 do *Bom dia, Obvious*, "Fracassando com gosto", entrevistei o designer Silvio Rodrigues, que resolveu celebrar o fracasso diariamente com sua marca Fracasse, que tem como lema "a vida não é um portfólio". Uma cutucada chique em uma sociedade performática na qual cada rede social se tornou quase como uma classificação da vida: quem é o mais feliz, o mais bem-sucedido, o mais maldoso-porém-perspicaz no Twitter e, claro, os mais belos.

Acho que muitas das que cresceram em cidades do interior podem se identificar com a ideia de roteiro preestabelecido de vida no qual o Silvio cresceu acreditando: formar-se na faculdade, casamento heterossexual, filhos e uma família linda nas fotos de Natal. Mas ele sentiu que havia um mundo muito além dessas expectativas, e não se arrepende de abandonar o script, apesar de, aos olhos de seus conterrâneos da pequena cidade onde nasceu, hoje ele parecer um completo fracasso.

É realmente louco parar para pensar que muitas pessoas que se dizem especialistas em caminhos para o sucesso nos convencem de que dar errado não é uma opção. Sendo que, devo lembrar: o fracasso produziu a lâmpada após mil tentativas, Oprah foi demitida por uma emissora e Duda Beat passou sete anos sendo reprovada no vestibular de medicina antes de virar nossa musa da sofrência pop. Poucos sabem, mas conheci a Duda quando ela tentava entrar na faculdade de medicina, muito antes de cantarmos "Bichinho" com todas as nossas cordas vocais.

Conversei com ela no episódio de aniversário de um ano do programa, o #40, chamado "Confie no seu processo", no qual dividiu com as ouvintes que foi no retiro Vipassana que notou que os sete anos tentando ser médica eram uma tentativa de ter estabilidade financeira por traumas familiares, mas nunca teve verdadeiramente a ver com ela. Para completar, percebeu que os caras que a magoaram e viraram inspiração para suas músicas eram todos músicos. Então, ela entendeu que era no palco que queria estar.

Em uma das minhas frases favoritas do psicanalista Carl Jung, ele diz que o maior peso que uma criança pode carregar é a vida não vivida dos pais. Isso é especialmente difícil na crucial escolha de carreira, que, para os privilegiados no Brasil, acontece em um momento em que os hormônios estão dançando "Macarena" com nossas emoções e temos pouquíssimas certezas sobre quem somos, então nos agarramos ao que parece fazer sentido.

No meu caso, parecia fazer sentido passar em um vestibular concorrido. Afinal, aquilo comprovaria que eu era inteligente, sim. Mas não bastava passar em direito, eu apenas aceitaria estudar na melhor faculdade do Rio, que na época dizia-se ser a da UERJ. Se eu me imaginava sendo advogada? Zero. Meus pais me pressionavam? Menos ainda. Minha mãe queria que eu fizesse odontologia, porque acreditava que me daria estabilidade. Sim, está mais que autorizado rir imaginando minha versão dentista.

Resumo da história: na época, para que você conseguisse ter nota suficiente para passar nas duas fases do vestibular da universidade estadual, era preciso acertar quarenta e três questões de múltipla escolha. Eu acertei quarenta e duas. Errar uma questão pode ter sido até falha de atenção da minha parte, mas tá aí um erro que eu me sinto bem grata de ter cometido. Muitas vezes, os cenários de sucesso parecem tão bem trilhados que, quando conquistamos o que queremos, até esquecemos de celebrar. Mas, quando recebi aquela negativa, fui puxada com força para o momento presente: *e agora?*

Fui obrigada a investigar o que realmente me dava tesão em estudar e com o que eu me via verdadeiramente trabalhando no futuro. Quando vi a grade de comunicação social, com matérias como filosofia, teoria da comunicação e outras, percebi que aquele talvez fosse meu lugar. Aparentemente, tem dado certo.

Em um episódio que talvez você precise regular o volume pelas minhas gargalhadas altas, o #127, chamado "Eita, deu tudo errado", conversei com a minha amiga, também podcaster, Bertha Salles sobre como lidar quando tudo sai totalmente ao contrário do que você tinha planejado. Ambas somos do time "rir para não chorar", até porque abraçar o caos em seu auge é um convite à reflexão sobre esses tão aclamados planos. Ela dividiu também como, nessa mesma fase de estudar para o vestibular, sentia-se uma fracassada.

Quem vê a Bertha com toda a sua autenticidade mal pode imaginar que ela estudou em uma escola que preparava os alunos para passarem no ITA e onde rankings de melhores a piores notas definiam a qual turma você pertencia. Quando lembro que isso existe até hoje, só consigo pensar que esses colégios nos preparam para o vestibular e para vinte anos de terapia tratando os traumas em nossa autoestima.

Ser inteligente, na vida adulta, é bem diferente de tirar boas notas, e isso fica claro ao considerar que ela é uma das minhas amigas mais inteligentes, mas chegou a ficar em último lugar na turma daquele ano. Apesar de os coordenadores insistirem que ela deveria "dar um jeito", só posso agradecer a ela e aos seus pais, que a respeitaram, porque hoje temos essa comunicadora genial criando tanta coisa linda para o mundo.

Lembro-me de uma estratégia que eu tinha quando voltava de *dates* terríveis — aquele pique, às seis da manhã, você no Uber com delineador até o dente e sua dignidade indo embora com o Péricles tocando no rádio — em que eu visualizava cenários imaginários para aquela noite desastrosa. "Um dia isso aqui vai ser tão insignificante, vou estar tomando um vinho numa casa deliciosa e contando para o amor da minha vida sobre o dia em que achei que estava indo para um jantar romântico, mas quando vi estava em uma cilada observando o rapaz chorar pela ex-namorada e o temaki de camarão que havia comido no dia anterior resolveu dizer 'olá' no meu estômago, fazendo-me revezar idas ao banheiro para vomitar com consolar o cara, que, pasmem, preferia me dar um Vonau a ficar sozinho com seu sofrimento."

Em uma pesquisa feita pela Universidade de Michigan, cientistas chegaram à conclusão de que nos imaginarmos em futuras situações felizes nos fornece energia para tomar decisões. Se estamos atravessando um mau momento e fazemos uma autoafirmação, como "quando tudo passar, vamos nos divertir com os amigos", ganhamos forças.

Apesar de essa técnica ter me ajudado a não afundar em um pessimismo trágico de "vou morrer sozinha", sei que é preciso reconhecer quando não estamos sendo otimistas, mas sim negando uma realidade que não nos agrada. Não raras vezes, o otimismo funciona como uma anestesia paralisante perante situações que estão fora do nosso controle.

Como todo termo que se populariza perde um pouco de seu significado original, vou lembrar que, por definição, a positividade tóxica é a suposição, por si mesmo ou por outros, de que, apesar da dor emocional ou da situação difícil de uma pessoa, ela deve ter apenas uma mentalidade positiva, ou — um termo com o qual implico bastante — ser "good vibes".

A era da positividade tóxica trouxe a visão de que emoções negativas são inerentemente ruins, minimizando e até invalidando experiências emocionais humanas autênticas. Geralmente, é transmitida por comentários como "veja pelo lado bom!", quando você está precisando de vinte e quatro horas deitada sofrendo por aquilo, ou um "seja grato pelo que você tem!", quando você está precisando viver o processo de luto por uma perda. Funciona como uma estratégia de prevenção para afastar e invalidar qualquer desconforto interno — só que, quando você evita suas emoções, na verdade, causa mais danos.

Hoje, o que funciona para mim em momentos nos quais tudo dá errado é me deixar sentir. Choro com força no banho, grito no travesseiro, digo para mim e para os meus amigos: "Eu não estou bem". Descobri, em um estudo, que pelo menos nisso eu acertei: o estudo mostra que, quando somos solicitados a não pensar em algo, a probabilidade de pensarmos a respeito daquilo aumenta.

Quer dizer, sabe aquela sua amiga que consola você falando: "Poxa, não fica assim, vai passar, não precisa chorar..."? Talvez ela devesse dizer: "Sofre, amiga, que barra, sofre até cansar", sem a pressão de ter de superar rapidamente, porque precisamos respeitar os nossos tempos.

Então, ótimo, estamos combinadas em nos permitir sentir os dias ruins. Agora, voltando duas casinhas: para assumir que fracassamos, talvez antes precisemos entender o que seria dar certo, né? Tenho um pavor em especial de listas como "30 antes dos 30", como se uma idade representasse uma linha de chegada para uma ideia única de sucesso. Eu queria mesmo era ver os trinta fracassos pelos quais você precisa passar para construir uma vida que faça sentido para você, para pararmos de comparar nossos bastidores com o palco dos outros.

A dor de quando algo dá errado vem acompanhada da sensação de humilhação e constrangimento que é dar a notícia para as outras pessoas. Não passar na prova é horrível, mas ter que contar para os seus familiares é pior ainda. Terminar uma relação dói muito, mas ter que ver a reação de lamento dos seus amigos quando você dá a notícia é reviver essa dor mil vezes.

A vergonha não é uma música que está alta demais e basta diminuir o volume, ela é uma unha passando por uma lousa ou quadro (não vamos brigar por regionalismos hoje) que a faz se contorcer. Dá arrepios, esquenta o corpo e às vezes desencadeia até aquela reação física de balançar a cabeça. Pode ser engatilhada no instante da situação, no meu caso me deixando completamente vermelha — e potencializando o constrangimento por estar tão exposta —, ou como um contragolpe da nossa memória por algo do passado.

Não é à toa que a grande rainha dos estudos sobre vulnerabilidade fala tanto sobre a vergonha. Caso você não conheça a pesquisadora e escritora Brené Brown, eu a perdoo por abandonar este livro por alguns momentos e ir assistir ao especial dela para a Netflix, *Brené Brown: o poder da coragem*. Em um mix de TEDx com *stand up comedy*, ela divide que, em seus estudos, entendeu que existem dois tipos de pessoas: as da arena e as da arquibancada. As primeiras são aquelas que se expõem, encaram de frente o medo do fracasso e justamente por isso são um sucesso, já que um é o reflexo do outro. Já as pessoas da arquibancada estão no Twitter. Brincadeira. Bem, mais ou menos. São aquelas que jamais se expõem, mas estão sempre prontas para criticar quem se coloca na arena.

Um conselho que eu gosto de dar para usar com moderação é: será que deveríamos levar tão a sério críticas daqueles para quem não pediríamos conselhos? Uma das pessoas a quem eu recorro quando preciso urgente de opiniões ou apenas para me ouvir chorar e acabar chorando junto é a minha amiga, canceriana como eu, Jana Rosa, já citada neste livro. Apesar de hoje ser extremamente bem-sucedida, ela também já caiu na cilada que é ouvir orientações de gente que não está ali para agregar.

Quando ela tinha o blog *Agora que sou rica*, a internet era mato no quesito influenciadores e líamos sobre seus dias e pensamentos, que eram intercalados por fotos nada produzidas de seu cotidiano. Eu já superacompanhava a Jana de longe e percebi que, quando a página virou basicamente sobre "look do dia", ela caiu fora. O que eu não sabia, mas descobri no *Bom dia, Obvious* #4, "De repente gestoras", é que essa decisão foi acompanhada de muito julgamento externo. "Várias pessoas da moda me encontravam e falavam: 'Você era blogueira, era para estar rica e está aí, pobre. Você não deu certo'."

Ela também ouvia que jamais conseguiria se recolocar na internet, mas hoje as mesmas blogueiras estão desesperadas, criando marcas, para poder sair do modo "look do dia", enquanto a Jana é dona da maior comunidade de beleza do Brasil. Respeite as opiniões, entenda de onde aquilo está vindo e não jogue nada fora. Mas, se elas fizerem você questionar aquilo de que você mais tem certeza, encare como distrações. É essencial confiar em si mesma e ter coragem para ser vulnerável e se jogar na arena.

"Um conselho que eu gosto de dar para usar com moderação é: será que deveríamos levar tão a sério críticas daqueles para quem não pediríamos conselhos?"

A verdade é que muitas vezes estamos pedindo opiniões não só porque estamos em dúvida, mas porque não queremos que aquela decisão seja julgada no futuro. O fórum de opiniões para direcionamentos sobre a nossa vida também serve como blindagem para nos certificarmos de que estamos vivendo de acordo com a expectativa alheia. A artista visual Marcela Scheid, em suas próprias palavras, passou a ser uma eterna estudante sobre vulnerabilidade, e muito do resultado disso você encontra nas artes dela, que misturam palavras com ilustrações.

Nós conversamos no episódio #137, "A vulnerabilidade é um superpoder?", sobre qual seria o termômetro para saber se estamos nos permitindo ser verdadeiramente vulneráveis. Concordamos que, se algo a faz se sentir um pouco ridícula, é o caminho certo. Nossa mente adora nos dominar com pensamentos que freiam a espontaneidade por medo de possíveis derrotas.

As vozes que alugam um apartamento na nossa cabeça criam um sistema autodestrutivo, e até viciante, que evita ao máximo o inevitável nesta vida: vamos errar, somos cheias de imperfeições, julgamentos externos estão fora do nosso controle, e a vergonha a gente passa no crédito e no débito.

Ser ruim em um emprego não vai definir o sucesso de uma jornada profissional, mas pode significar que quem almejou a carreira dos sonhos não foi você. Dói perceber que o curso de uma relação está fora do nosso controle, mas o amor da sua vida não lhe daria um pé na bunda daqueles. Assim como não é porque está chovendo que você vai ficar molhada, não é porque você fracassou que será uma fracassada. No final do dia, o que conta não são quantas rupturas você tem, mas sim quão boa você é na restauração.

A jornada é sempre a única chegada

Fizeram-nos acreditar que sucesso é ser reconhecida pelos outros, mas, na verdade, a vitória mais importante é conseguir conhecer a nós mesmas a ponto de saber o que significa sucesso em nossas vidas. Sem visões utópicas aqui: é óbvio que todas queremos e precisamos de retornos financeiros, mas, uma vez que a estabilidade financeira é o ponto de partida, o que mais indicaria que você chegou lá? Para algumas, é um cargo em uma empresa específica, para outras, é ser a primeira da família a ter um diploma universitário. Também pode ser ter um milhão de seguidores, ou conseguir acompanhar de perto o crescimento dos filhos.

Seja um relacionamento que deu errado, um projeto que não foi para a frente, uma apresentação que foi um desastre: será que a temperatura do sucesso está sendo medida por quanto você está feliz ou por quanto você parece, aos olhos alheios, estar ganhando no jogo da vida? Julia Cameron, em *O caminho do artista*, fala sobre a tática dos jóqueis de colocar um cavalo novato para correr atrás de um mais velho, mais seguro e experiente, para ele ir aprendendo como é que se faz.

Só que, se no plano humano os que representam esses cavalos seguros e experientes estão se vendendo apenas com fórmulas de sucesso, sem compartilhar "puts, aqui eu tropecei", fica difícil internalizar que mesmo o sucesso é formado por pequenos fracassos. Em uma sociedade que parece valorizar apenas grandes vencedores, o desejo de ser a melhor pode assassinar o simples desejo de ser.

Quando eu estava na faculdade e fechava o olho, tentava me imaginar no futuro e sabia mais ou menos o que queria, mas sofria porque não conseguia imaginar exatamente onde eu queria estar. Hoje sei que o sofrimento era à toa, já que o modelo de negócio da Obvious ainda não existia. Para não parecer aqui a grande visionária do século: também não existiam Instagram, Netflix, WhatsApp nem 4G.

Se você me perguntasse em 2015, ano em que fundei a empresa, eu diria que seria bem-sucedida quando enfim ocupasse um andar em um prédio com mais de duzentos funcionários, estando sempre muito ocupada, pois ainda acreditava que isso glorificava a minha existência no mundo. Eu também caía frequentemente no erro de associar o sucesso ao reconhecimento externo, tornando esse ciclo infinito: podemos fazer e entregar o nosso melhor, mas isso não significa que os outros vão reconhecê-lo como tal.

A Obvious já tinha dois anos e era bem conhecida no Rio quando decidimos nos mudar para São Paulo. Ter algum nível de sucesso no CEP que eu entendia como o mundo parecia o topo da montanha aos meus vinte e seis anos. Por isso, foi inesquecível engolir meu ego a seco em uma reunião com nosso primeiro cliente na nova cidade. Nela, a diretora precisou acionar a assistente sussurrando, na tentativa de não ouvirmos: "Qual é mesmo o nome deles?". Enquanto o Rio tinha me dado a sensação de que éramos grandes, aquela diretora cuspia na minha cara o fato de que não fazia ideia de quem éramos. Se a sorte realmente favorece os corajosos, tinha chegado a hora de eu encarar o desconhecido e partir para uma nova fase.

Em uma deliciosa e vulnerável entrevista para o apresentador David Letterman, a artista Billie Eilish foi questionada sobre como foi ganhar prêmios como Grammy e Oscar antes mesmo de completar vinte anos. Ela respondeu que não queria desrespeitar os prêmios, mas que aquilo a fez ver que, se alguém tão pouco genial como ela poderia colecioná-los, talvez eles não fossem tão relevantes assim. Quando assisti a esse trecho, eu me arrepiei da cabeça aos pés: como é importante estar com a cabeça em dia até para quando tudo começa a dar certo. O fenômeno da impostora tinha criado nela uma barreira que, em vez de levá-la a se sentir merecedora, a fazia questionar o valor de um prêmio que alguém aceitasse lhe dar.

Por isso é tão importante ter como meta inicial algo que lhe dê satisfação própria: menos ganhar um Oscar, mais se apaixonar pela construção do personagem. Com o tempo, entendi que meus melhores parâmetros seriam momentos cotidianos. Quando, por exemplo, eu estava correndo no parque Villa-Lobos e ouvi duas mulheres usando a nossa expressão "chapadinhas de endorfina". Ou o dia bem engraçado que valeu como um Cannes quando me despedi de desconhecidas no banheiro da academia dando bom-dia e elas me responderam: "Bom dia, Obvious".

Em um trecho do livro *Observações sobre um planeta nervoso*, o autor Matt Haig fala sobre como insistimos em relacionar a felicidade a conquistas futuras, algo como: "Quando eu estiver ganhando X reais, aí vou me considerar bem-sucedida", ou "Quando eu tiver a minha casa própria, posso enfim descansar". Aqui está o que sabemos com certeza: não há fim para o querer. Assim como uma boneca russa, é comum, quando conquistamos um marco que deveria ser o que nos faria bem-sucedidas, já nos abrirmos para o próximo, e assim sucessivamente.

Atualmente, o meu desejo de vitória é construir uma carreira de que me orgulhe e que me traga retornos financeiros suficientes para me dar prazer no presente e segurança no futuro. Paralelamente a isso, sinto-me bem-sucedida quando consigo encaixar prazeres nos dias cotidianos. Hoje, não consigo separar sucesso como algo apenas no âmbito profissional; eu preciso conseguir viver uma vida que eu ame ao mesmo tempo.

A verdade é que, se formos esperar o momento em que chegamos ao tal do sucesso profissional para enfim viver com plenitude as outras áreas da nossa vida, vamos morrer tentando. Porque, seja essa definição escrever seu primeiro livro, uma promoção no trabalho ou exibir um cargo bonito no LinkedIn, o caminho de uma carreira tem seus solavancos — ninguém se sente um sucesso todos os dias. É nesses momentos que a autossabotagem nos acerta em cheio: geralmente ela vem do medo do fracasso, mas também pode vir do medo do sucesso.

Estou vivendo ou apenas me autossabotando?

Apesar de ser difícil admitir, às vezes o maior temor que habita em nós é de que nossos grandes sonhos de fato se realizem. Afinal, junto com o sucesso vêm a visibilidade, os comentários e até nossa felicidade. Apesar de parecer loucura, pode ser assustador acreditar que nós também merecemos ser felizes.

Só que ter medo de não ser feliz para sempre pode arruinar o relacionamento que é bom agora, ter medo de decepcionar os outros pode fazê-la decepcionar a si mesma e, enfim, temer a felicidade por receio de uma desgraça iminente é ter medo de viver.

Shirzad Chamine, autor do livro *Positive Intelligence*, afirma que nossa mente é nossa melhor amiga e pode ser nossa pior inimiga, justamente pelas tendências de autossabotagem. Ele sistematizou algumas figuras que chamou de sabotadores. A principal delas é o Juiz, o sabotador universal que afeta todas as pessoas perfeccionistas, julgando seus erros, criando medos em relação a riscos futuros e gerando estresse e infelicidade.

Chamando de cúmplices, ele categorizou outros nove tipos de sabotadores:

- O Evitante, que foge de situações desafiadoras.

- O Controlador, que tem a ansiedade de controlar tudo ao seu redor.
- O Tipo A, que precisa ter uma alta performance e receber validação externa.
- O Hiper-Racional, que tem uma visão fria sobre tudo para não se envolver.
- O Vigilante, que vive com medo do que pode dar errado.
- O Bonzinho, que tenta agradar todo mundo.
- O Incansável, que não consegue viver no presente.
- O Rigoroso, que prefere não fazer se existir chance de não sair perfeito.
- A Vítima, que tem síndrome de ser mártir.

Apesar de soar como uma grande vilã que carregamos dentro de nós, gosto de olhar para a autossabotagem como um bichinho medroso que se sente acuado em situações fora da zona de conforto, mas que não quer nada além de nos proteger. Se for tangibilizá-lo, penso logo no cachorro de *Coragem, o cão covarde*. Se a analogia com o desenho do Cartoon Network não cola para você, trago emprestada a versão de Emma Gannon, autora do livro *Sabotage* [Sabotagem]: "Se o conceito de autossabotagem fosse uma pessoa da vida real, eu a chamaria de babaca intrometida. É aquela que aparece em festas sem ser convidada, de mãos vazias e com sapatos cheios de lama".

Eu identifico três tempos para as minhas vozes de autossabotagem:

Antes: aquelas que dizem que eu nem deveria começar. Um artigo publicado em 2020 no *The New York Times* explorou a série da Netflix *O gambito da rainha* para chegar à ideia de que a intensidade da tristeza em perder uma partida é sempre maior do que a intensidade da alegria ao ganhá-la. O que me fez refletir que esse desalinhamento de emoções pode ser a raiz para um tanto de autossabotagens: já que dói demais perder, eu prefiro parar de jogar, mesmo que exista a chance de ganhar. Detesto imaginar quantas pessoas talentosas com trabalhos brilhantes perdemos porque o desejo de serem os melhores os convenceram a desistir antes mesmo de tentar.

Durante: aquelas que aparecem no meio do processo para me paralisar. Minha mente é craque em visualizar pessoas ridicularizando meu trabalho antes mesmo de eu conseguir finalizar um projeto criativo. Um brinde a todos os problemas que fingi resolver com um cochilo.

Depois: aquelas que aparecem no final, dizendo que eu deveria jogar fora o que finalizei ou jamais mostrar para alguém. Como também me relaciono com um usuário dessa categoria, tenho a trágica história do site mais lindo que a Obvious já teve, que o Renato criou durante a madrugada, me mostrou de manhã e apagou duas horas depois porque não estava bom o suficiente.

Na primeira participação da jornalista Luanda Vieira no *Bom dia, Obvious*, em 2020 — no já citado episódio #54, sobre se autossabotar —, ela era editora de moda da *Glamour* e fazia parte do comitê global de diversidade e inclusão da Condé Nast. Sim, uma mulher muito bem-sucedida. Sim, uma mulher que tem intimidade com as vozes de autossabotagem, assim como nós.

Apesar de essas vozes estarem diretamente conectadas com sua ansiedade de realizar muitas metas, Luanda consegue ver o lado bom delas. Obviamente, essa discussão mental interna é exaustiva. "A ansiedade é um gatilho para me autossabotar. Eu tenho percebido que a gente quer tanto chegar lá na frente, colocamos tantas metas que acabamos esquecendo do meio do caminho, a gente não curte o processo." Mas ela também consegue usar essas vozes autossabotadoras a seu favor: "Eu me escuto falando 'você não vai conseguir, não é para você', e me motiva a fazer a coisa dar certo". Uma batalha interna que subestimamos o quanto nos suga — ao final do dia, nos perguntamos: por que será que estou tão cansada?

No mundo esportivo, existem casos de autossabotagem nos quais os atletas começam a duvidar de habilidades que eles honraram ao longo de anos de prática. Como pode um esportista talentoso, com uma coleção de medalhas que pesariam no pescoço, de repente começar a duvidar de si mesmo? Bem, você não precisa ser exatamente um medalhista para se relacionar com isso. Assusta-me como os primeiros posts da Obvious saíam com a naturalidade de quem estava brincando e hoje tenho dias em que parece que mal sei trabalhar com internet. Este é o elemento frustrante da autossabotagem: ela tem potencial de crescimento na mesma proporção do seu sucesso. E essa incoerência eu levo para a terapia logo mais.

Eu procrastino, tu procrastinas, nós estamos inseguras

Antes de mergulharmos nesse assunto que tanto me interessa, preciso trazer um alerta: eu não tenho depressão, mas já tive crise de pânico e sei muito bem quanto é diferente um quadro clínico de um padrão comportamental. Quando falamos sobre procrastinação, pode, sim, haver uma correlação com alguns distúrbios mentais (vá ao médico!), mas não é disso que vou falar aqui. Existe uma discussão sociológica sobre o nosso estado como indivíduo e como sociedade em relação ao momento atual do mundo, com todas as interferências tecnológicas. E é nesse ambiente que vive minha argumentação. Resumindo: vou falar de padrões de comportamento, não estou falando de saúde mental; se sua procrastinação é fruto de depressão, procure um médico e ignore os parágrafos a seguir. Cuide-se.

Se esse não for o seu caso, repita "procrastinação" dez vezes e perceba como ela talvez seja uma das palavras mais feias do nosso vocabulário. Você também gosta de algumas palavras mais do que de outras? Eu amo "picolé", "agora", "coragem", "bambolê" e "oceano". Também gosto muito de pensar em palavras bonitas e palavras feias quando estou enrolando para escrever meu livro. Eita. Ok. Vamos lá.

Será que você procrastina porque é preguiçosa? Ou procrastina porque está com medo de não entregar a tarefa tão bem quanto seu perfeccionismo cobra, e então se autossabota imaginando situações em que enfim descobrem que você não é boa o suficiente, permitindo que o medo a paralise a ponto de te impedir de fazer aquilo que deveria? O "deixar para depois" muitas vezes tem menos a ver com organização de tempo e mais com gerenciamento de emoções.

Um estudo realizado pelo Departamento de Psicologia da Universidade de Carleton, no Canadá, mostrou que existem ligações diretas entre procrastinação e emoções negativas, como frustração, ressentimento e medo. Para mim, a procrastinação está totalmente enraizada no último — medo do fracasso, do sucesso, de não sair perfeito —, e o medo, como sabemos bem, é uma emoção poderosa. Se você listar as atividades que faz com facilidade *versus* aquelas que vai postergando para um segundo momento, pode iniciar uma investigação forte sobre aquilo que mexe com a sua insegurança.

Como controlar a ansiedade quando somos pressionados a fazer coisas que nos deixam desconfortáveis? Como enfrentar nossas emoções e abandonar soluções temporárias que acabam nos atrapalhando a longo prazo? No já comentado episódio sobre o assunto (#108), entrevistei a psicóloga Catharine Rosas em busca de respostas.

Ela diz que a procrastinação nada mais é do que um atraso desnecessário, e às vezes inconsciente, para realizar uma tarefa ou tomar uma decisão. Ela aparece como esconderijo de outra emoção, sentimento ou comportamento, sendo o principal deles a insegurança. Pode até trazer um alívio imediato, mas a longo prazo acabamos nos sentindo frustradas e até incapazes.

Muitos dias em que preciso fazer uma entrega criativa, sinto uma grande agonia para dar o pontapé inicial. Não é como se eu ficasse deitada enrolando, ao contrário, percebi que uso esse tempo para resolver funções mais burocráticas e operacionais, provavelmente porque não mexem com as minhas inseguranças. E aí entro em um ciclo vicioso no qual o medo de entregar algo ruim me atrasa, a entrega realmente não fica tão boa quanto se tivesse sido feita no tempo certo, sinto que fracassei e *bum!*: sinto-me a maior das impostoras.

Em vez de nos castigarmos e repetirmos o ciclo porque achamos que estamos fadadas a fracassar, é bom lembrar que procrastinar é muito mais comum do que nos fazem acreditar. Segundo o psicólogo Adam Grant, autor de *Originais* e *Pense de novo*, 15 a 20% das pessoas adultas são procrastinadoras crônicas, e as demais também adiarão suas obrigações de vez em quando. Nos torturarmos com culpa não ajuda em nada, precisamos perdoar nosso eu procrastinador para que ele fique no passado e não se torne nossa pior companhia no presente. Quando você se trata com compaixão, reduz a culpa que sente por procrastinar, eliminando um dos principais gatilhos do ciclo vicioso.

Quem me segue para onde vou, além do Gilberto Gil e do Tom Jobim, meus dois cachorros (Maria Rita segue o Renato, lamentável), é meu caderno. Além de me dar segurança e amenizar minha ansiedade de esquecer qualquer ideia, já que elas rapidamente são registradas, ali ficam minhas listas do que preciso realizar no dia, semana e mês. A minha sensação é de que o mais difícil é começar, então, uma vez que anoto que preciso fazer aquela tarefa em algum momento, algo em mim diz que já andamos 10%. Loucura? Talvez. Funciona? Para mim, sim.

Uma vez que a lista está pronta, meu primeiro fator de avaliação é o nível de urgência: o que é inegociável no dia de hoje? Depois, o que é mais fácil de ser realizado. Para mim, é como exercício físico, às vezes a gente precisa aquecer com o que é mais fácil para estar concentrada o suficiente ao realizar o mais difícil. Uma vez, li em uma newsletter do Tim Ferris (ou ouvi em um podcast) que ele engana o próprio cérebro pensando: "E se essa tarefa fosse fácil?".

Eu aplico essa ferramenta quase que diariamente. Se estou com dificuldade em montar uma apresentação em slides, começo escolhendo as cores e fontes que vou usar, não escrevendo o conteúdo.

"Nos torturarmos com culpa não ajuda em nada, precisamos perdoar nosso eu procrastinador para que ele fique no passado e não se torne nossa pior companhia no presente."

Para fechar um texto, engano meu cérebro dizendo que vou só ler, não editar. Quando vejo, já estou animada, chegando à versão final do arquivo. Afinal, sempre dá para editar um rascunho ruim, mas uma página em branco, não.

No *Bom dia, Obvious* #144, a consultora de organização criativa Fernanda Negrão falou sobre "A paz terrível de uma rotina organizada". Abrimos a conversa já derrubando por terra a ideia de que criatividade combina com caos. Ela diz que escuta de muitos criativos que eles "funcionam bem sob pressão", ao que ela replica: "Você entrega bem sob pressão, mas ninguém vive uma vida feliz constantemente sob pressão".

Eu, que não sou boba, aproveitei a oportunidade para pegar dicas pessoais para a minha rotina e fiquei aliviada de saber que muito do que ela ensina para os clientes eu já faço. A primeira dessas coisas é reconhecer o poder das listas. Só que não basta listar mil coisas e não saber por onde começar nem quando vai ter tempo para isso. Por isso eu sempre listo já nomeando prioridades e, na sequência, crio espaços na minha agenda em que estarei dedicada a completar a tarefa em questão.

Foi chave para mim entender que os domingos são lindos para descansar, mas podem ser ainda melhores para me preparar para a semana que vem aí. Não, eu não adianto entregas, mas me programo para organizar alguma parte da minha casa. Eu sou zero metódica com isso, que fique claro. Mas jogar fora produtos de maquiagem que estão fora da validade, reorganizar minha mesa e até trocar os móveis de lugar me dão uma clareza mental de que "pronto, minha cabeça está limpa e organizada pro que vem por aí".

Alerta: Não confundir descanso com procrastinação.

"Nunca deixe para amanhã o que você pode fazer hoje" é uma frase que deveria ser motivacional, mas que me atormentou durante muito tempo, e exatamente nos momentos em que eu menos precisava de tormento. Hoje eu sei que isso não é uma verdade absoluta, a não ser que eu esteja lidando com prazos absolutamente inegociáveis — só que aí não é sobre *poder* fazer, e sim *precisar* fazer.

Muitas vezes, eu apenas sei que amanhã vou entregar melhor. Se hoje eu dormi mal, se briguei com meu marido, se recebi uma notícia difícil são fatores que jogam contra o discurso de "vencedores não deixam para amanhã". Talvez eu nem queira ser uma vencedora todos os dias, então quão tóxico é ignorar fatores externos, como se nós fôssemos pessoas iguais todos os dias, o tempo todo?

Voltando para a Catharine, ela pontuou muito bem que "compramos a ideia de que somos feitos para produzir, independente do que aconteça, e equiparar nosso corpo humano e nossas condições humanas biológicas às máquinas de produção, que não cansam verdadeiramente, que não têm um dia difícil, uma semana difícil, ainda mais agora que a gente tá falando de escassez de trabalho, índices absurdos de desemprego".

Também sou adepta do processo que o publicitário boy lixão Don Draper explica para a inteligente e querida Peggy na série *Mad Men*: primeiro pensamos muito naquilo, para então esquecer, e aí as melhores ideias virão. Para montar os roteiros do *Bom dia, Obvious*, por exemplo, no primeiro horário do dia faço uma pesquisa longa (com o celular no modo avião e alertas de desktop desligados), então tiro um tempo para chapar de endorfina e tomar um bom banho (a casa das grandes ideias). Não tem erro: enquanto alguns diriam que eu estava fugindo da tarefa, nessa pausa vem o oxigênio de que minha mente precisa para chegar à versão final.

A professora de mídia da Universidade de Indiana Jessica Gall Myrick recrutou 7 mil pessoas para uma pesquisa sobre os efeitos do consumo de conteúdo sobre gatos na internet sobre nossos estados emocionais com a justificativa de que "os usuários da internet gastam uma quantidade significativa de tempo consumindo mídia relacionada a gatos, parte disso enquanto deveriam estar fazendo outras tarefas, como trabalhar ou estudar".

Os resultados mostram que a felicidade obtida ao ver gatos on-line pode moderar a relação entre motivos de procrastinação, culpa e prazer. Os participantes relataram se sentir mais felizes e menos estressados depois de assistir a um vídeo de gatinhos — mesmo quando se sentiam culpados porque deveriam estar fazendo outra coisa. "Assistir aos vídeos os ajudou a se livrarem de emoções negativas, então, mesmo que as pessoas estejam assistindo a vídeos de gatos no YouTube para procrastinar ou enquanto deveriam estar trabalhando, a recompensa emocional pode realmente auxiliar as pessoas a realizarem tarefas difíceis depois", diz Myrick.

Estou dividindo essa pesquisa não (só) porque quero que você curta e compartilhe todos os vídeos de gatinhos na Obvious, mas porque quero que, juntas, a gente aprenda também a diferenciar procrastinação de pausas necessárias. Será que é procrastinação ou só descanso?

"Quero que, juntas, a gente aprenda também a diferenciar procrastinação de pausas necessárias. Será que é procrastinação ou só descanso?"

O limbo das perfeccionistas

Uma taróloga uma vez me disse que eu deveria ficar atenta ao fato de que vivia em uma competição sem fim comigo mesma: eu não queria ser melhor do que ninguém, apenas a melhor que eu pudesse ser. Não entendi o ponto de atenção, já que me pareceu louvável não olhar tanto para o lado; então ela me explicou que, quando nos comparamos, usamos o outro como uma meta a ser alcançada. Quando você quer ser apenas o melhor que pode ser, quando ficaria bom o suficiente para parar?

Você acreditando ou não em leitura de cartas, posso confirmar a veracidade do que ela disse, já que, desde que eu me entendo por gente, me reconheço como uma perfeccionista. Apesar de já ter sido uma característica a ser esbanjada em entrevistas de emprego, o perfeccionismo é uma das facetas mais cruéis da autossabotagem. Afinal, ele se baseia na triste crença de que, se não alcançarmos as metas preestabelecidas pela sociedade ou até por nós mesmas, nos tornaremos fracassadas. A questão não é ter padrões elevados ou objetivos desafiadores, e sim procurar o pior em nós.

Se você conviver comigo, vai ouvir diversas vezes sobre como o "feito é melhor que o perfeito", mas, assim como saber que todos os corpos são lindos não me impede de me sentir insegura quando coloco um biquíni, meus pensamentos autossabotadores não me abandonam com facilidade só porque sei que o perfeccionismo apenas adiciona sofrimento inútil ao meu processo. Eu me considero aquilo que Adam Grant classificou como perfeccionista produtiva, por isso a pergunta "O que eu faria se não precisasse executar isso com perfeição?" guiou cada página deste livro. E se você o está lendo agora, é porque deu certo.

A versão mais atualizada do manual de saúde mental DSM-5 inaugurou um modelo alternativo para classificar e entender alguns distúrbios psicológicos por meio de grandes paradigmas de avaliação. A ideia é que essa seção traga traços de personalidade frequentemente relacionados a alguns distúrbios como forma de ajudar o diagnóstico, com uma abordagem original, flexível e prática. Uma categoria dessa seção específica do manual traz algumas características e suas formas de apresentação, e é aqui que o perfeccionismo aparece como um ponto relevante: sua presença em distúrbios mentais é tão prevalente que virou um critério de avaliação.

A escritora Anne Lamott diz, em seu popular livro sobre escrita, *Palavra por palavra*, que "o perfeccionismo se baseia na crença obsessiva de que, se você correr com cuidado suficiente, acertando cada degrau da maneira certa, não irá morrer nunca. A verdade é que você vai morrer de qualquer maneira, e que muitas pessoas que nem estão olhando para os próprios pés vão se dar muito melhor do que você e se divertir muito mais enquanto o fazem".

William Zinsser, em *Como escrever bem*, caracteriza um bom escritor não como aquele que tem o dom das palavras, mas sim o que sabe editar um bom texto. É preciso se permitir ser iniciante até ser bom em algo, é preciso escrever um primeiro rascunho ruim até chegar ao que faz sentido. Quem sou eu perto desses nomes, mas o conselho que dou para os perfeccionistas em crise é: primeiro crie, depois julgue a qualidade. Pego emprestada a frase de Anne Lamott: "Não olhe para os seus pés para ver se está fazendo certo. Apenas dance".

Em um excelente episódio do podcast *Work Lifer*, Margaret Atwood explica que procrastinou por três anos antes de escrever *O conto da aia* (que foi adaptado para uma de minhas séries favoritas) porque acreditava que a ideia era louca demais. O conselho que ela dá hoje é "Avance". "É possível que não seja o certo, mas depois você pode jogar fora e ninguém vai ficar sabendo daquela estupidez que você escreveu."

Achei muito bonito quando, no já falado episódio #137, a Marcela Scheid trouxe uma reflexão sobre a importância de sabermos conviver com nossos erros: "A perfeição fica tapando isso, a gente erra, mas finge que não errou e tenta fazer melhor, mas a vulnerabilidade é o contrário, né? É você olhar e falar para si mesma: errou aqui ó, tá? Tudo bem, tá tudo bem, vamos lidar com isso".

O perfeccionismo e a vulnerabilidade são antagonistas no processo criativo. Enquanto a vulnerabilidade entra com a gentileza de se permitir errar, mas ainda assim produzir, as vozes do perfeccionismo chegam nos atropelando: isso está ridículo. A dor da perfeccionista é que, qualquer que seja a crítica ou o xingamento que você receba, talvez já tenha falado para si mesma, e aquilo vai cair como uma certeza.

É um tanto daquela briga de Hannah e Marnie na primeira temporada de *Girls*, quando a amiga fala uma frase cruel para a personagem de Lena Dunham e ela replica com: "Quer saber? Não existe nada tão cruel que você possa me dizer que eu não tenha pensado sobre mim e dito para mim mesma, provavelmente na última meia hora". Algo assim.

Eu conheço bem essa sensação, porque essas vozes são bem presentes em minha vida. Talvez também na sua, já que se calcula que são elas que escutamos quase metade do tempo que passamos acordados. Para se ter uma ideia, uma matéria publicada no jornal *El País* em 2021 citou uma pesquisa feita em 1990 mostrando que, diante de um desafio, chegamos a dizer a nós mesmos o equivalente a 4 mil palavras por minuto.

"A perfeição fica tapando isso, a gente erra, mas finge que não errou e tenta fazer melhor, mas a vulnerabilidade é o contrário, né? É você olhar e falar para si mesma: errou aqui ó, tá? Tudo bem, tá tudo bem, vamos lidar com isso."

Como parâmetro, traz o fato de que só conseguimos ler até seiscentas palavras por minuto, deixando claro que às vezes nossa mente parece mais uma praça de alimentação de shopping no primeiro domingo após o quinto dia útil do mês (antes do governo Bolsonaro, claro). Essa voz interior é necessária, mas a qualidade dos pensamentos afeta diretamente nossa autoestima e pode causar a sensação de uma tragédia iminente.

Em abril de 2021, fui convidada a escrever para a revista *TodaTeen*. É desafiador imaginar o que uma adolescente gostaria de ler em tempos como os de hoje, então, em vez de me desgastar tentando descobrir, decidi falar sobre o que teria sido definitivo para uma vida mais feliz dos meus tempos "teens" até agora.

A investigação passou por ter encontrado muito antes roupas que me deixassem feliz com meu corpo, e não tentar mudar para entrar em roupas que não eram para ele; ter conseguido dizer todos os necessários "nãos" quando disse "sim"; um grande arrependimento por ter assinado revistas de dieta com doze anos; até chegar a um diagnóstico certeiro: se eu tivesse conseguido colocar em modo silencioso algumas vozes internas que moravam na minha cabeça sem pagar aluguel, definitivamente teria sido um trajeto bem menos turbulento.

O desejo de agradar a nossa tribo vem muito antes de nos dividirmos entre os que amam Taylor Swift, Stray Kids ou Lady Gaga: estamos falando sobre 50000 a.C., quando sobrevivência social foi uma questão de evolução da espécie. Emocionalmente, fomos feitos para nos importarmos com o que os outros pensam de nós, faz parte da nossa biologia de primatas sociais para nunca nos isolarmos completamente e corrermos o risco de acabar sem comida — ou de virar almoço de outro animal. Esse mesmo corpo veio de lá pra cá com essa mesma crença: agradar a todos da sua tribo para sobreviver. Só não se contava que as redes sociais transformassem o que era uma pequena tribo em um continente de pessoas.

De volta à minha pequena perspectiva pessoal, nunca foi sobre agradar muita gente, mas sobre uma voz infernal que me dizia que eu não estava agradando um público imaginário. Os sociólogos chamam esse público de nosso "outro generalizado". Alguns generalizados nos dão uma dose diária de apoio e inspiração; outros podem ser terrivelmente cruéis: esses foram intitulados por Tim Urban de "mamutes de sobrevivência social", em seu sempre citado texto "Por que você deve parar de se importar com o que os outros pensam".

O mamute é aquela voz interna que ridiculariza a ideia que você teve no banho, que a impede de postar a foto porque pode não ter *likes* suficientes, é o motivo de alguns pais se importarem demais com a escolha de carreira dos filhos e de alguns filhos se importarem demais com a opinião dos pais. É o que pode fazê-la perder vivências, uma carreira que lhe traz felicidade e relacionamentos pelo simples medo do que aquilo vai dizer sobre você.

Aprendi com a psicóloga Catharine Rosas que muitas vezes nosso crítico interior não quer nada além de nos proteger de um possível sofrimento que viria com a realização de uma atividade ou as possíveis opiniões externas que nos abalariam emocionalmente. Ela sugere, então, que a gente investigue a função dessas vozes internas tão malvadas: por que elas jogam você tão para baixo?

Hoje eu crio um verdadeiro debate com meus pensamentos absurdos me fazendo uma pergunta simples: "Eu posso ter certeza disso?". Porque, na boa, eu só tenho tempo para sofrer por aquilo que é um fato concreto. Passei também a praticar um exercício para lidar com essas vozes, questionando o que a minha melhor amiga diria nessa situação. Ou o que eu diria para minha melhor amiga se ela estivesse na mesma situação.

Julia Cameron sugere colocar um monstrinho em sua mesa de trabalho para descredibilizar essas vozes cruéis. Pode ser um ótimo conselho, mas eu preferi ter fotos das pessoas com as vozes mais gentis: olhar para minha avó Odete quando estou em uma crise de autoestima é um alívio gigantesco por me ver, mesmo que por um segundo, pelos olhos dela.

Talvez você deva escrever sobre isso

"Você já experimentou escrever sobre isso?" Essa se tornou minha pergunta, um tanto repetitiva, nos momentos em que vejo pessoas queridas paralisadas com decisões importantes ou passando por momentos em que precisam organizar melhor suas ideias. Escrever nos é apresentado como algo a ser desenvolvido por grandes nomes extremamente talentosos — ganhadores de prêmios, escritores de best-sellers — ou como um grande dever de casa. Pouquíssimas pessoas têm o privilégio de ter contato com a escrita por outros ângulos. O prazer em ver seus pensamentos ganhando corpo no papel. O alívio da meditação ativa que é escutar seus pensamentos e prestar atenção em cada palavra ali, com uma presença rara nos tempos de hoje. Da cura que é reservar um momento para se ouvir, nomear sentimentos e estabelecer essa conversa diária com nossos oceanos internos.

Com uma caneta e um caderno na mão, muitas vezes desvendamos aquilo que era confidencial até para nós mesmas. Você pode se surpreender ao perceber que um tanto das respostas que procura lá fora está dentro de você. Ana Holanda é jornalista, escritora, apaixonada pelas palavras e foi minha mentora na reta final deste livro. Não saberia nem por onde começar a agradecer a ela por tanta gentileza e troca.

O início dessa relação foi quando conversei com ela no *Bom dia, Obvious* #135 em abril de 2022, ano em que escrevo. Segundo a Ana, a escrita ajuda a desbloquear muita coisa dentro da gente. Em seu curso, ela já viu casos como o de uma mãe que chegou por indicação médica, pois sofria com o ninho vazio depois que sua filha foi morar fora, e, ao final das aulas, contou que achava que tinha ido pela ausência da filha, mas percebeu que estava lá por ela: "Quem se perdeu fui eu".

Não é nada simples diminuir o volume das nossas vozes internas mais cruéis, então as coloco no volume máximo, escrevo o que estão me dizendo e argumento como se fosse minha própria advogada. A ironia é que essas mesmas vozes que parecem monstros também nos constrangem. Como pode algo nos dar medo e vergonha ao mesmo tempo? Engulo meu constrangimento para expor o que escrevi em meu sagrado caderno, para me libertar da procrastinação no início da escrita deste livro:

Este livro não vai vender nada e terá sido uma perda de tempo.
Resposta: Pode não vender nada, mas não vou deixar que seja uma perda de tempo porque vou curtir cada segundo do processo. Vou escrever diariamente cada frase como um grande rascunho que, independentemente da qualidade, expresse quem eu sou. Vamos realinhar as expectativas? A celebração deste trabalho vai ser vê-lo pronto e saber que eu me dei uma chance. Quem sabe meu segundo livro seja um best-seller? Por enquanto este precisa apenas nascer.

O prazo está muito apertado, não vai dar tempo de terminar.
Resposta: Vou conversar com a minha editora para entender se tenho flexibilidade com prazos, mas, enquanto isso, posso organizar minha rotina de escrita. Não vou focar no tempo que não tenho, vou aproveitar o tempo que tenho, colocando minimetas em meio

"Não é nada simples diminuir o volume das nossas vozes internas mais cruéis, então as coloco no volume máximo, escrevo o que estão me dizendo e argumento como se fosse minha própria advogada."

ao grande processo. Não acordei hoje e pensei "vou lá escrever o livro". Acordei sabendo que minha única meta era escrever o trecho sobre perfeccionismo. Quando minha ansiedade vier me alertar que ainda falta muito, vou me acalmar lembrando que o que deveria ser feito naquele momento estava sendo feito.

Não estou conseguindo entrar no clima de escrever.
Resposta: Estar com toda a disposição, no ambiente ideal, no dia perfeito para escrever é um luxo. A maioria das pessoas trabalha do jeito que dá. Em quantos momentos da sua vida você esteve nas CNTPs (condições ideais de temperatura e pressão) para aquilo que deveria ser feito? Comece pelo mais fácil: não está conseguindo abrir com a frase perfeita? Comece pelo meio, não existe ordem certa para esse quebra-cabeça. Lembra de tudo em que você já foi ruim um dia? É sobre prática e repetição.

Vão falar mal.
Resposta: Isso e o fato de que o texto que vai ser impresso com tinta preta são as duas únicas certezas que temos sobre este livro. Mas não significa que outros não vão elogiar. Podemos seguir em frente?

Grande parte da raiz da nossa insegurança vem da fome insaciável por aprovação dos outros. Esse desejo que nos desempodera e passa para o outro o poder de construir ou destruir nossa autoestima. Em seu curso "Escrita Criativa: como criar textos pessoais de impacto", Roxane Gay diz que abandonar a ideia de que vamos ser unânimes é o primeiro passo para tirar um tanto de peso das costas em qualquer processo criativo. Absorva o fato de que você vai agradar a um público específico. Outros não vão se importar, outros vão detestar. Definitivamente, nem todo mundo vai se identificar, afinal somos tão diferentes. Você se identifica com tudo que vê? Pois bem.

Assim como os escritores claramente estão sempre falando sobre como lidar com o perfeccionismo, as pessoas públicas têm de lidar com as críticas externas como pauta de terapia em comum. Se dói quando sua amiga lhe conta que uma pessoa que você mal conhece falou mal de você, já pensou saber que existe um batalhão de pessoas criticando, falando mentiras sobre você e ironizando aquilo que você faz com toda a sua dedicação?

Imagine, então: você está cuidando da sua vida, passeando pelo Twitter, quando toma um soco no estômago com 143 caracteres falando mal de você. Acho que todo mundo deveria passar por isso pelo menos uma vez na vida para entender o efeito na saúde mental de quem se fala ali.

Esbarrei no livro *Os quatro compromissos*, de Don Miguel Ruiz, em um dia em que tinha prometido a mim mesma que não compraria nada na livraria. Peguei meio tímida e, quando vi, já estava em uma daquelas poltronas da livraria completamente imersa em seus mandamentos. Livros, para mim, são tão importantes quanto o que há de mais sagrado nesta vida: um apanhado de folhas que nos transportam para mundos que nos confortam e parecem sempre aparecer na hora certa. Foi exatamente esse o caso.

Fazendo-me companhia está ninguém menos que Oprah. Ao entrevistar o autor em seu podcast, ela disse: "O que você diz realmente elevou meu senso de consciência. Percebi que não deveria tomar coisas pessoalmente porque aquilo é apenas o ponto de vista de quem está me julgando ou fazendo suposições, e eu não tenho absolutamente nada a ver com isso. Da mesma forma que você é o personagem principal da sua história, os outros também são das deles".

Obviamente, quem está exposto ao grande júri da internet vai sentir isso com mais força, mas não são só avatares covardes que podem estar te bloqueando. Pessoas próximas podem ser grandes muros para você acessar e se permitir estar em contato com seus verdadeiros desejos e capacidade de criar. Também não são necessariamente aquelas que estão em sua vida hoje, podem ser aquelas que foram passageiras, como um chefe que despejou suas frustrações em microagressões quando você ainda era uma estagiária, ou um namorado que a diminuía em público porque precisava se sentir superior a você.

Por mais que nos esforcemos para viver o momento presente, nosso cérebro tem um modo automático de recorrer a situações do passado para resgatar aprendizados, o que deve ter sido útil quando o ser humano precisava sobreviver em meio a uma floresta. O que percebi, graças ao processo do livro *O caminho do artista*, é que o meu mamute foi a tangibilização de algumas das frases mais difíceis que já ouvi, vindas de pessoas que "só queriam o meu bem".

Na primeira semana do processo, Julia Cameron sugere que você enfrente seus monstros externos listando três pessoas que prejudicaram sua autoestima e descreva em detalhes a situação na qual cada uma delas nos feriu. Eu convido você a fazer esse mesmo exercício, mas aqui está o que eu tirei do meu: é surpreendente como não me lembro do que comi ontem, mas me lembrei até do cheiro de uma festa de 2012; acessar essas memórias e abandoná--las em um papel exorcizou um tanto de mim. É revoltante perceber como oferecemos a classe executiva da nossa cabeça para as piores pessoas que passaram por nossas vidas.

Em 2019, eu escrevi em meu bloco de notas um possível post do Instagram em que eu passaria a trocar vivências literárias recomendando minhas leituras, mas arquivei esse desejo porque minha cruel voz interior me dizia: "Ninguém quer saber o que você tá lendo, amore". Dois anos depois, gostaria de voltar no tempo e responder que talvez as pessoas queiram, sim. Talvez queiram tanto que um Clube do Livro liderado por mim possa vir a ser um dos projetos de maior sucesso da minha empresa.

"Ih, virou blogueira"

Foi muito gostoso quando, no início do *Bom dia, Obvious*, comecei a ver tantas pessoas marcando o programa em seus *stories*. Como forma de retribuir esse afeto, eu repostava absolutamente todo mundo que me marcava, o que, na minha visão, tinha deixado meus *stories* no limite da superlotação. Também divulgava todos os episódios no meu *feed* para que mais pessoas conhecessem o programa. Fazia o mesmo no meu Twitter, me esforçando para ser agraciada com uma frase perspicaz como chamada. Não demorou muito até bater a ressaca da autopromoção:

"Acho que estou incomodando."

"Ninguém aguenta mais me ver falando sobre esse programa."

"Será que pensam que eu estou me achando?"

"Que vergonha alheia de mim mesma nesses posts."

No meio do que parecia uma avalanche de divulgação, saí para tomar um vinho com uma amiga que eu não via fazia um bom tempo. Após ouvir e rir sobre as tragédias cômicas de sua vida de solteira, o cabernet sauvignon me deu coragem para perguntar para aquela sincerona nata se ela achava que eu já estava enchendo o saco dos outros com aquela história de podcast.

— Que podcast? — ela perguntou.

Muitas vezes pensamos que estamos gritando quando quase ninguém nos ouviu. Essa amiga é daquelas que têm perfil fechado no Instagram no qual posta a cada seis meses, acha o Twitter lugar de gente infeliz e evita entrar em grupos de WhatsApp. Mas hoje é uma das minhas amigas que escutam religiosamente o programa toda segunda-feira. A dor da autopromoção é real e passa por muitos pontos que já citei aqui: fenômeno da impostora, perfeccionismo, insegurança, autossabotagem e, por fim, vergonha.

Hoje eu sou muito bem resolvida porque consegui assimilar que divulgar o meu trabalho não tem nada a ver com vaidade; faz parte do trabalho e dá trabalho. Abandonei a ideia de que isso é um movimento do ego quando, na verdade, tem a ver com estratégia de negócios. Vejo muito dessa confusão com freelancers, especialmente pela solidão que acompanha o processo.

A má reputação da autopromoção teve algumas outras fontes, passando também pela ideia enraizada de que chamar atenção para o que você produziu a faz *metida*. Olha o Ódio às Mulheres de Sucesso passando por aqui novamente. Garanto que as pessoas mais arrogantes que eu conheço não são as que se mostram vulneráveis exibindo seus trabalhos nas redes sociais, e sim aquelas que se esforçam muito para parecer que não se esforçam em nada.

Não estou falando sobre ostentar todas as suas vitórias, até porque sou adepta da máxima "calada vence", mas existe uma discrepância de gênero muito clara quando vejo que homens precisam ter 1% de participação em um projeto para colocá-lo no portfólio, enquanto as mulheres precisam ter ganhado um prêmio, feito cinco cursos sobre o assunto e, quem sabe, já ter mandado para todas as amigas perguntando se está bom mesmo para, enfim, divulgarem orgulhosas que fizeram parte daquilo.

Por isso, jamais vou cutucar alguém com um "Ih, virou blogueira?", e recomendo que você também não o faça, até porque metade do constranger o outro vem da frustração de não conseguir fazer o mesmo. O sofrimento com a autopromoção também é alimentado quando imaginamos o que será que vai passar na cabeça dos outros ao nos verem fazer isso; mas, assim como há quem diga que se gasta mais tempo atualizando a própria página de mídia social do que vendo a dos outros, a publicidade tem essa crença de que a maioria das pessoas precisa ser informada sobre algo pelo menos sete vezes, em pontos de contato distintos, antes de decidir comprar o produto ou serviço anunciado.

Como Tim Urban fala no texto já citado aqui sobre mamute, qualquer pessoa que desaprova quem você é ou o que está fazendo nem está na mesma sala que você 99,7% do tempo. É um clássico e gigantesco erro fantasiar versões das consequências sociais futuras, bem piores do que o que realmente acaba acontecendo — geralmente, nada.

A verdade é que pouca gente está realmente se importando. Estamos todos tão mais preocupados com nossas próprias imagens que sobra pouco tempo para julgar como o outro está ali. Sabe quem se importa? Aqueles para quem aquela divulgação vai fazer sentido. Quem estava procurando o serviço que você está divulgando, quem vai se apaixonar pelo seu produto, quem vai querer ouvir seu podcast. A mensagem tem que chegar a essas pessoas. E, sobre quem tem tempo para julgar e achar que você perdeu a mão na divulgação, torço para que você descubra o quanto antes que eles não apenas não se importam, como também não afetam em nada a sua vida.

Tudo isso, definitivamente, não significa que, a partir de hoje, você precisa fazer dancinhas ou postar detalhes do seu dia (mas, se quiser, terá meu *like*). O convite aqui é investigar a forma de divulgar seu trabalho com a qual você se sente confortável. Observe as pessoas que você admira: elas se vendem como as melhores no que fazem ou apenas se apresentam como orgulhosas de um resultado? Há mil possibilidades, plataformas e tons de voz a serem explorados, mas o exercício que sugiro a você para encontrar a sua forma é se questionar: o que aconteceria se você vencesse o medo e a vergonha de se autopromover?

Mal posso esperar para ver seu trabalho sendo divulgado por aí.

"A verdade é que pouca gente está realmente se importando. Estamos todos tão mais preocupados com nossas próprias imagens que sobra pouco tempo para julgar como o outro está ali."

Quando a zona de conforto fica desconfortável

Em seu primeiro significado, zona de conforto se referia à faixa de temperatura entre vinte e dois e vinte e quatro graus, na qual as pessoas não sentiam nem frio nem calor. Hoje, quando usamos essa mesma expressão, geralmente ela vem acompanhada de um tom pejorativo, reproduzindo a crença de que a vida é o que acontece quando você sai dela. Mas por que colocamos essa carga tão negativa em algo que pode nos trazer tanta paz para o coração e para as relações? Com todo o desconforto que vivemos nos últimos anos devido à pandemia, é preciso cuidado para não cair nas armadilhas que nos fazem crer que a vida precisa ser uma sequência de aventuras.

Pode vir aos poucos ou como um tsunami mental. Quando percebemos que essa zona já não está confortável, muito do que tínhamos certeza parece perder o sentido. Um emprego, uma relação, a cidade onde você vive ou, não raramente, todos juntos ao mesmo tempo. A vontade de mudar de vida pode vir de uma busca por sentido, um impulso por novidade ou aquele desejo profundo de viver novas emoções. Só que, quando ela chega, geralmente vem acompanhada de seu grande parceiro medo. Será que estou velha demais para mudar de profissão? Será que eu tenho coragem de abandonar tudo o que construí até agora? Nesses casos, temos duas opções: prolongar certa situação, fingindo que está tão legal quanto foi um dia, ou assumir que chegou a hora de mudar algo na vida.

No *Bom dia, Obvious* #20, "Mudando de vida", conversei com a engenheira Beth Viveiros, que, com sorte, você conhece da deliciosa padaria de produção artesanal Beth Bakery, em São Paulo. Meu estômago até sorriu ao escrever esta frase, já que seus pães são verdadeiros presentes. Em 2013, ela trabalhava em uma empresa muito grande quando seu pai ficou doente e, mesmo aposentado havia trinta anos, seguia falando de trabalho. Aquilo foi o pontapé para que ela quisesse mudar a própria vida.

Beth passou a investigar quais eram suas verdadeiras paixões, já que na época de escolha da faculdade as profissões disponíveis pareciam ser apenas medicina, engenharia e direito. Foi aí que se lembrou: "Quando eu tinha 15 anos, comecei a vender sanduíche natural e trufas na escola, mas eu apaguei isso da minha cabeça". Assim, em dezembro de 2013, um dia antes de seu pai ter alta do hospital no qual estava internado, ela saiu daquele emprego que não a fazia feliz. "Não falei para minha mãe que eu tinha saído do emprego, inventei que estava de férias coletivas e emendei com as minhas férias e foi o momento de pensar e planejar. Coloquei tudo no papel, pensei em nomes, se ia dar certo, quanto custaria; e um dia eu olhei para o Beth Bakery e gostei."

Não sou o tipo de pessoa que um belo dia pensa "isso aqui está muito parado, vamos dar uma sacudida!". Geralmente, é a vida que olha para mim e pensa: "Essa aí tá muito parada, vou dar uma sacudida nela". As mudanças na minha jornada parecem mais o universo me empurrando enquanto resisto com todas as minhas forças do que grandes atos de mulher guerreira.

Lá pelos meus vinte e três anos, eu vivia nas ruínas de uma vida que já tinha acabado, mas passava bem catando as migalhas de felicidade que me restavam de um trabalho que eu odiava e de uma relação em decadência que me forçava a silenciar diariamente uma voz interna que sussurrava "acho que dá pra ser melhor que isso, hein". Do dia para a noite, eu vivi uma avalanche que poderia matar a Elsa, só que, em vez de brincar na neve, não conseguia acreditar que tinha perdido minha estabilidade. Tudo o que eu entendia como minha vida, naquele momento, acabou por decisões de terceiros. Adeus relação, adeus trabalho e, como cereja do bolo, minha mãe foi transferida e eu precisei morar sozinha pela primeira vez.

É difícil diferenciar a ideia de estar confortável da percepção de que você está apenas acomodada, por isso os sentimentos de autopiedade que nos dominam nesses momentos nos fazem acreditar que estamos sendo amaldiçoadas pelo universo. Hoje eu sei que, longe disso, no fundo, tudo de que eu precisava aconteceu, só que, como não partiu de mim, eu não me sentia pronta.

Na última gravação de 2020 do *Bom dia, Obvious*, ano que pareceu um pesadelo coletivo, conversei com a jornalista Helena Galante, apresentadora do podcast *Jornada da calma*. O episódio #75, "Um pacto com o agora", tornou-se o favorito da minha parceira de trabalho e produtora do programa Dani Nogerino. Quando questionei o motivo do nome de seu podcast, a Helena compartilhou sua visão sobre a jornada ser um caminho que podemos traçar, não um que vamos seguir e tudo se resolverá. Então, a calma que eu a observo ter alcançado veio em passos lentos, respeitando cada um de seus aprendizados com tantos convidados, que vão de Cauã Reymond à Monja Coen.

"Temos um futuro aprisionado, e isso tem a ver com como lidamos com o passado. Pensando em linha do tempo, eu tenho a sensação de que ficamos pulando do ontem para o amanhã o tempo inteiro e fazendo do amanhã um espelho do ontem", explicou Helena. "Às vezes, quando tentamos sair disso, vamos para um outro extremo, que é o planejamento, o clássico final de ano, então eu vou montar o meu papel e dizer como vai ser o ano que vem; só que é uma falácia, não sabemos como vai ser o próximo ano. Precisamos libertar o nosso futuro para que ele seja menos repetitivo que o passado."

Quando o jogo virou e fui convidada por ela para participar do *Jornada da calma*, compartilhei que acredito que, quanto mais rigidamente lidamos com a vida, menos felizes vamos ser. Cada dia eu tenho mais certeza de que nosso ideal de futuro nos impede de ter uma vida minimamente plena. Por mais que o planejamento seja importante, precisamos deixar espaço para a impermanência.

Existe uma máxima no futebol (sim, sou são-paulina e uma caixinha de surpresas) de que quem não faz, leva. Se um time tem mil chances de marcar um gol, mas não aproveita para abrir o placar, acaba tomando um golaço de contra-ataque do time adversário. Vejo que o universo não tem muita piedade de quem tem medo de mudanças. Sabe quando tudo que você faz é reclamar do emprego e de repente, pá, demissão? Ou aquela relação que você sabe que está um saco e de repente a pessoa se apaixona por outro alguém?

No meu trecho favorito do livro *Talvez você deva conversar com alguém*, Lori Gottlieb diz que toda mudança de rota é também um luto pelo futuro perdido. Ela explica que todos os dias estamos construindo um imaginário do que vai acontecer, e quando algo no presente muda, muito do sofrimento que sentimos não é sobre a perda do que temos, e sim pelo que idealizamos que poderia ser. Meu conselho para quando vejo meus amigos mais próximos caindo nesse ciclo nos relacionamentos amorosos é: esqueça a viagem dos sonhos que você programou para o Réveillon; lembra aquela briga que fez você questionar se merecia mesmo ser amada?

Gosto muito do conceito japonês do *shoganai*, que, ao pé da letra, significa "não tem jeito, não há o que fazer". Pode parecer coisa de gente acomodada, mas é uma filosofia sobre aceitar que certas situações estão totalmente fora do controle. Em vez de sofrer por elas, devemos deixar para lá. Está nas nossas mãos escolher o que vamos carregar para o futuro, então o melhor é aceitar a impermanência e não carregar mágoa, entendendo que durou o tempo que tinha que durar.

Você deve conhecer — se não, corra para o Instagram — a criadora de conteúdo Thai de Melo por seus vídeos que reinventaram as #publis para muita gente ou pelo senso de humor que me faz rir de verdade quando faz piada com seus filhos Marcelo e Lorenzo (quem é quem? Nem ela sabe!), mas, como muitas de nós, ela demorou a encontrar a sua voz e é inspiração para tantas que sentem que ainda são coadjuvantes da própria vida.

No *Bom dia, Obvious* #78, "Sendo a protagonista da minha vida", Thai dividiu que, quanto mais fazia o que tinha sentido para ela, ignorando se as pessoas ao redor aprovariam, mais as coisas aconteciam de forma orgânica e com sucesso. Ela pondera que esse sucesso tem pouco a ver com um retorno externo, está mais relacionado com sentir, ao final do dia, que essa vida é sua.

Esse episódio foi especialmente guiado por muito do que absorvi do livro *Indomável*, de Glennon Doyle. Em um capítulo, ela conta que já queria pedir o divórcio, mas que não tomava a decisão final porque queria proteger seus filhos. Um dia, Glennon estava se arrumando para sair, a filha a viu e comentou: "Eu quero usar o meu cabelo igual ao seu, você pode fazer?". Nesse momento, ela percebeu que, quando a filha a observava, a via como referência. Isso é um cabelo bonito, é assim que uma mulher tem que agir. Então, percebeu que, quando a filha a via em um casamento infeliz, estava aprendendo a forma como uma mulher deve ser amada. Pensava que a estava protegendo, mas, na verdade, estava destruindo a ideia do que o amor seria para ela.

Como alguém que ainda não tem filhos, penso que isso funciona não só para sua prole, mas também para as pessoas mais íntimas. Você já percebeu que muitas vezes nos unimos para competir pelas olimpíadas de quem está menos feliz? É bem comum um grupo de amigas passar a noite inteira contando quanto todas estão insatisfeitas em suas relações ou empregos. Mas, no momento em que uma delas toma coragem de se mover, parece um efeito dominó: não nos libertamos sozinhas, libertamos todas ao nosso redor.

É duro tomar a decisão de desistir de algo porque vivemos em uma sociedade que romantiza a perseverança a qualquer custo. O ideal da mulher heroína colabora muito para isso: sempre destemida, sempre a postos para superar seus maiores desafios. Só que, para você ter coragem de revolucionar, talvez passe pelo processo de desistir de uma vida anterior — e é aqui que muitas vezes idealizamos a obstinação, tratando aqueles que desistem como fracos.

Chegou a hora de sonhar de novo?

Eu estava completamente suada e fedida quando, ao finalizar uma aula na academia, reconheci, mesmo de máscara, a jornalista Luanda Vieira, de quem já falei aqui — minha convidada do episódio sobre autossabotagem. Os primeiros reencontros pós-isolamento são um pouco engraçados, né? Perguntei como estava, e ela contou sobre uma mudança recente de rota de carreira, dividindo a reflexão de que tinha realizado um sonho e que, quando aquilo não pareceu mais fazê-la feliz, restou uma voz interna que perguntava: "E agora?". Respondi que talvez tivesse chegado a hora de sonhar de novo. Não demorou até esse papo de corredor se tornar um novo episódio com Luanda, muito sensível e especial. O #125, "Chegou a hora de sonhar de novo?".

Nesse que se tornou o episódio que indico para todas que estão com medo de tomar decisões em suas vidas, a Luanda dividiu comigo que, mesmo tratando em terapia o desejo de sair do emprego, que incluía reuniões com Anna Wintour (sim, ela mesma, a diaba que veste Prada), o peso de decepcionar os outros era grande demais para deixá-la agir. "Eu só consegui tomar essa decisão quando tive um burnout. Nesse momento, a saúde falou mais alto e me ajudou a tomar a decisão que eu queria tomar dois anos atrás e não tinha coragem. Foi preciso realmente ficar de cama para eu conseguir decidir, o que me deixou muito puta: por que esperei ficar nesse estado para simplesmente decidir?", ela contou.

Uma amiga dividiu comigo, logo após terminar seu casamento, que o desejo de se divorciar já existia há um tempo, mas que a coragem para isso acabou sendo postergada porque, quando confidenciou essa vontade para sua mãe, esta acabou convencendo-a de que o parceiro era a pessoa ideal para ela. Acreditamos tão pouco nas nossas vozes internas… Como poderia a mãe, que encontrava o genro só aos finais de semana, saber mais do que ela, que dormia diariamente com o marido?

Glennon Doyle conta, em outro trecho de *Indomável*, sobre o dia em que seu filho e sua filha estavam recebendo amigos em casa. Na sala, estava o grupo de meninos e, no quarto, o de meninas. Ela vai aos dois cômodos e faz a mesma pergunta: "Alguém está com fome?!?", e os meninos rapidamente respondem, sem nem tirar os olhos da televisão, um sonoro SIM! Já as meninas ficam em silêncio e se entreolham para descobrir a resposta, pesquisam suas necessidades, pedem permissão para os seus desejos nos olhares externos. Até que uma delas, aparentemente a líder, decide que não, não estão com fome.

Os meninos sabem o que querem olhando para dentro. As meninas olham para fora. Porque, quando somos ensinadas que precisamos agradar, esquecemos quem somos. Só que nessa vida, se você não tomar as decisões, alguém vai fazer por você. O que acontece quando uma vida toma rumos por decisões alheias?

Segundo dados da OMS, ansiedade é duas vezes mais comum nas mulheres. Definitivamente, tudo que citei neste livro são fatores para isso, mas um tempero especial vem do fato de que parece existir um roteiro único para tornar-se mulher na nossa sociedade.

Ousar sonhar de novo é se dar a opção de reescrever o roteiro que conta a nossa história. Nosso trabalho, nossos relacionamentos e nossas paixões costumam fazer parte da nossa identidade, então o desafio de se permitir mudar de ideia passa também pelo questionamento: quem sou eu agora? Se aos olhos de fora a narrativa atual parece perfeita, opiniões trazem o medo como um tempero amargo às decisões de mudança. "Então foi tudo à toa? Mas tanta gente sonharia com um trabalho como esse... Como eu ouso questionar minha felicidade aqui?" Certamente, essas pessoas e situações fazem parte de quem somos hoje, mas em uma vida podem existir tantas versões de nós.

Acho bonito que exista uma tristeza presente na imagem da deusa Aurora. Foi a forma de os antigos gregos e romanos demonstrarem que nem sempre estaremos felizes com os novos ventos que a vida nos oferece, já que se renovar muitas vezes implica se livrar daquilo que nos dá sensação de estabilidade, a zona de conforto que, ao ser quebrada, pode acompanhar sofrimento por encarar incertezas da vida.

Levar a sério nossa saúde mental, rever nossa relação com as tecnologias, saber estabelecer nossos limites sem medo de soar difícil, não colocar nossa felicidade e autoestima nas mãos dos outros, saber cuidar das nossas relações assim como saber a hora de sair delas e confiar no nosso processo sem olhar para o lado foram alguns dos ensinamentos que adquiri de tantas trocas valiosas ao longo dos anos de podcast, e que espero que tenham sido úteis para você nesta leitura.

Um novo trabalho pode trazer mais conhecimento, decidir sair de uma relação pode trazer a sensação única de liberdade. Se nos permitirmos ficar atentas, despedidas podem ser menos sobre o luto do fim e mais uma celebração pelas tantas possibilidades da vida. Talvez tenha, sim, chegado o momento em que tudo cumpriu seu propósito e possamos abrir espaço para inspirar e respirar novos começos. Talvez tenha chegado a hora de sonhar de novo.

E aí, o que você vai fazer por sua felicidade hoje?

Agradecimentos

Chega ao fim a gestação de *Aurora*, que só foi possível graças à minha rede de pessoas amadas, que me deram estrutura nos últimos nove meses.

Agradeço ao meu parceiro de vida, Renato, cujo olhar sobre mim me faz acreditar que eu consigo tudo e um pouco mais. Te amo, gatinho.

Obrigada ao meu melhor amigo e família que escolhi, Lauro, que há anos diz que um dia iria ler um livro meu. Amigo, o dia chegou.

À minha família de mulheres inteligentes, generosas, engraçadas, a quem devo tudo:

Vó, o melhor de mim veio de você.

Mãe, não existe amor maior do que o que eu sinto por você.

Tia Rosana, obrigada pelo olhar e pela fala sempre generosos, minha madrinha.

Tia Regina, entre gargalhadas e absurdos, resgato muita força em você.

Fabiana, quase me escapam palavras, juntas somos potência.

Obrigada ao meu pai, Lenilson, que criou em mim a paixão pelos estudos e de quem herdei uma curiosidade inata.

AGRADECIMENTOS

A toda a equipe Obvious, que me ensina diariamente desde curiosidades do mundo pop a ser o melhor que posso ser. Em especial, à Clarissa Wolff, que colaborou tanto na pesquisa deste livro. Te admiro muito!

Agradeço à Amanda Pinho, minha Pinzoca, que fez a capa mais bonita que eu poderia sonhar.

À Ana Holanda, que praticamente me pegou no colo quando achei que não seria capaz de escrever. Não é só sua escrita, você é puro afeto.

Obrigada à equipe de mulheres da HarperCollins: Raquel, Diana e Malu, que me ensinaram tanto neste processo.

Por fim, obrigada aos meus amigos que são minha família e sabem quem são. Obrigada pelo apoio e pela paciência. Já podem voltar a me chamar pra sair, liberei meus finais de semana.

Referências bibliográficas

Livros

ATWOOD, Margaret. *O conto da aia.* Rio de Janeiro: Rocco, 2017.

CADOCHE, Élisabeth; MONTARLOT, Anne de. *Le Syndrome d'imposture, porquoi les femmes manquent tant de confiance em elles?* Paris: Babelio, 2022.

CAMERON, Julia. *O caminho do artista.* Rio de Janeiro: Sextante, 2017.

CHAMINE, Shirzad. *Positive Intelligence.* Texas: Greenleaf Book, 2012.

CLEAR, James. *Hábitos atômicos: um método fácil e comprovado de criar bons hábitos.* Rio de Janeiro: Alta Life, 2019.

DERAM, Sophie. *Os 7 pilares da saúde alimentar: aprenda a resgatar uma relação saudável com a comida e o corpo por meio da mudança de hábitos.* Rio de Janeiro: Sextante, 2021.

_____. *O peso das dietas: Faça as pazes com a comida dizendo não às dietas.* Rio de Janeiro: Sextante, 2018.

DOYLE, Glennon. *Indomável.* Rio de Janeiro: HarperCollins, 2020.

DOYLE, Sady. *Trainwreck: The Women We Love to Hate, Mock, and Fear.* Nova York: Melville House, 2016.

REFERÊNCIAS BIBLIOGRÁFICAS

DSM-5: manual diagnóstico e estatístico de transtornos mentais. 5. ed., American Psychiatric Association (APA), 2014.

FREDRIKSSON, Bárbara. *Love 2.0: How Our Supreme Emotion Affects Everything We Feel, Think, Do, and Become.* Nova York: Avery, 2013.

GANNON, Emma. *Sabotage: How to Silence Your Inner Critic and Get Out of Your Own Way.* Londres: Hodder & Stoughton, 2020.

GAY, Roxane. *Fome: Uma autobiografia do (meu) corpo.* Rio de Janeiro: Globo, 2017.

GILBERT, Elizabeth. *Comer, rezar, amar.* São Paulo: Objetiva, 2016.

GOFFMAN, Erving. *A representação do eu na vida cotidiana.* Rio de Janeiro: Vozes, 2014.

GOTTLIEB, Lori. *Talvez você deva conversar com alguém: uma terapeuta, o terapeuta dela e a vida de todos nós.* Belo Horizonte: Vestígio, 2020.

HAIG, Matt. *Observações sobre um planeta nervoso.* Rio de Janeiro: Intrínseca, 2020.

HAN, Byung-Chul. *A sociedade do cansaço.* Rio de Janeiro: Vozes, 2015.

HELGOE, Laurie. *Introvert Power: Why Your Inner Life Is Your Hidden Strength.* Illinois: Sourcebooks, 2013.

HERMAN, Eleanor. *Sexo com reis.* São Paulo: Objetiva, 2005.

HOCHSCHILD, Arlie. *The Managed Heart: Commercialization of Human Feeling.* California: University of California, 2012.

HOOKS, bell. *Tudo sobre o amor: novas perspectivas.* São Paulo: Elefante, 2021.

_____. *O feminismo é para todo mundo: Políticas arrebatadoras.* São Paulo: Rosa dos Tempos, 2018.

JUNG, Carl G. *O desenvolvimento da personalidade.* Rio de Janeiro: Vozes, 2013.

KAY, Katty; SHIPMAN, Claire. *A arte da autoconfiança: os segredos que toda mulher precisa conhecer para agir com convicção a Teresa de Lauretis.* São Paulo: Benvirá, 2017.

LAMOTT, Anne. *Palavra por palavra: instruções sobre escrever e viver*. Rio de Janeiro: Sextante, 2022.

MADEIRA, Carla. *Tudo é rio*. Rio de Janeiro: Record, 2021.

MONTERO, Rosa. *Nós, mulheres: grandes vidas femininas*. São Paulo: Todavia, 2020.

MORRISON, Toni. *O olho mais azul*. São Paulo: Companhia das Letras, 2019.

NAGOSKI, Emily. *Burnout: o segredo para romper com o ciclo do estresse*. São Paulo: BestSeller, 2020.

ODELL, Jenny. *Resista: Não faça nada: A batalha pela economia da atenção*. São Paulo: Latitude, 2021.

PECK, Morgan Scott. *O caminho menos percorrido, uma nova psicologia do amor, dos valores tradicionais e do desenvolvimento espiritual*. Rio de Janeiro: Presença, 2018.

PETERSEN, Anne Helen. *Não aguento mais não aguentar mais: como os millennials se tornaram a geração do burnout*. Rio de Janeiro: HarperCollins, 2021.

PORTELA, Lorena. *Primeiro eu tive que morrer*. Fortaleza: Expressão Gráfica e Editora, 2020.

RUIZ, Don Miguel. *Os quatro compromissos: o livro da filosofia Tolteca*. São Paulo: BestSeller, 2021.

SHAKESPEARE, William. *Rei Lear*. São Paulo: Penguin-Companhia, 2020.

TIMMERMAN, Natália. *O copo vazio*. São Paulo: Todavia, 2021.

TOLENTINO, Jia. *Falso espelho: reflexões sobre a autoilusão*. São Paulo: Todavia, 2020.

UNSWORTH, Emma Jane. *Adultos*. Rio de Janeiro: Intrínseca, 2020.

VARELLA, Dráuzio. *Prisioneiras*. São Paulo: Companhia das Letras, 2017.

ZANELLO, Valeska. *Saúde mental, gênero e dispositivos: cultura e processos de subjetivação*. Curitiba: Appris, 2018.

ZINSSER, William. *Como escrever bem: o clássico manual americano de escrita jornalística e de não ficção*. São Paulo: Fósforo, 2021.

REFERÊNCIAS BIBLIOGRÁFICAS

Revistas, jornais e newsletters

AFLAGEME, Ana. "Não é surpresa que não se conheça a anatomia do clitóris. É nossa herança cultural". *El País*, São Paulo, 01 mar. 2020. Disponível em: <https://brasil.elpais.com/brasil/2020/02/28/eps/1582912339_151609.html>.

ANDERER, John. "Survey: The Average Worker Experiences Career Burnout — By the Age of 32!". *Study Finds*, Nova York, 18 set. 2020. Disponível em: <https://www.studyfinds.org/average-worker-career-burnout-age-32/>.

BORGES, ALV et al. "Erica: Início da vida sexual e contracepção em adolescentes brasileiros". *Rev Saúde Pública*, São Paulo, 2016. Disponível em: <https://scielosp.org/pdf/rsp/2016.v50suppl1/15s/pt>.

BOTTON, Alain de. "Why You Will Marry the Wrong Person". *The New York Times Magazine*, Nova York, 28 maio 2016. Disponível em: <https://www.nytimes.com/2016/05/29/opinion/sunday/why-you-will-marry-the-wrong-person.html>.

CBN Entrevista. "Mais de 70% das mulheres diagnosticadas com câncer de mama são abandonadas pelos maridos", 7 out. 2019. Disponível em: <https://cbn.globoradio.globo.com/media/audio/277250/mais-de-70-das-mulheres-diagnosticadas-com-cancer-.htm>.

CERIBELLI, Marcela. "Última Página | Mamute de Sobrevivência Social". *TodaTeen*, São Paulo, 30 abr. 2021. Disponível em: <https://todateen.com.br/noticias/ultima-pagina-mamute-de-sobrevivencia-social.phtml>.

CHOCANO, Carina. "I Want to Live in the Reality of 'The Queen's Gambit'". *The New York Times Magazine*, Nova York, 02 dez. 2020. Disponível em: <https://www.nytimes.com/2020/12/02/magazine/queens-gambit-netflix.html>.

CORBANO, Eddie. "7 New Stages of a Breakup: The Ultimate Guide". Disponível em: <https://lovesagame.com/stages/#stage3>.

"DEALING With a Breakup: 7 Healthy Ways to Cope With Post-Split Stress". *Huffpost*, Nova York, 15 jun. 2013. Disponível em: <https://www.huffpost.com/entry/dealing-with-a-breakup-7--tips_n_3389381>.

DEARO, Thiago. "Amigas fazem bem à saúde!". *Portal Padom*, 9 nov. 2011. Disponível em: <https://portalpadom.com.br/amigas-fazem-bem-a-saude/#:~:text=O%20estudo%20sobre%20sa%C3%BAde%20indica%20que%20quanto%20mais,quanto%20a%20obesidade%2C%20o%20tabagismo%20ou%20o%20sedentarismo>.

"DISTÚRBIOS alimentares começam na infância, aponta estudo". *Veja*, São Paulo, 27 nov. 2018. Disponível em: <https://veja.abril.com.br/saude/disturbios-alimentares-comecam-na-infancia-aponta-estudo>.

FEDERICI, Silvia. "Sexualidade como trabalho". Trad. Aline Rossi. *Feminismo com Classe*, 04 maio 2018. Disponível em: <https://medium.com/feminismo-com-classe/sexualidade-como-trabalho-de-silvia-federici-c22d412252fe>.

FERRIS, Tim. *5-Bullet Friday*. Disponível em: <https://go.tim.blog/5-bullet-friday-1/>.

FILIPE, Marina. "Dove: aos 13 anos, 84% das meninas já usam filtros e os danos são imensos". *Exame*, São Paulo, 21 abr. 2021. Disponível em: <https://exame.com/marketing/dove--aos-13-anos-84-das-meninas-ja-usam-filtros-e-os-danos--sao-imensos>.

FORREST, Adam. "Social Media Influencers Give Bad Diet and Fitness Advice Eight Times out of Nine, Research Reveals". *Independent*, Londres, 30 abr. 2019. Disponível em: <https://www.independent.co.uk/news/health/social-media-weight--loss-diet-twitter-influencers-bloggers-glasgow-university-a8891971.html>.

GAGE, Matilda. "Woman As an Inventor". *The North American Review*, Iowa, 01 maio 1883, p. 13. Disponível em: <https://archive.org/details/jstor-25118273/page/n1/mode/2up>.

REFERÊNCIAS BIBLIOGRÁFICAS

"GET the Facts". *National Organization for Women (NOW)*, Washington. Disponível em: <https://now.org/now-foundation/love-your-body/love-your-body-whats-it-all-about/get-the-facts/>.

GRANNEMAN, Jenn. "Why Is Socializing Exhausting for Introverts? Here's the Science". *Introvert, Dear*, 12 abr. 2019. Disponível em: <https://introvertdear.com/news/introverts-socializing-draining/#:~:text=A%20recent%20study%20from%20the%20University%20of%20Helsinki,much%20they%20had%20a%20particular%20goal%20in%20mind>.

HIOLSKI, Emma. "Young Girls Are Less Likely to Believe Their Gender Is Brilliant As They Age". *Science*, Washington, 26 jan. 2017. Disponível em: <https://www.science.org/content/article/young-girls-are-less-likely-believe-their-gender-brilliant-they-age>.

"HOMENS fofocam mais que mulheres, diz estudo". *BBC News*, Londres, 01 abr. 2009, Disponível em: <https://www.bbc.com/portuguese/noticias/2009/04/090401_pesquisafofocaml>.

HUFFINGTON, Arianna. "Burnout: Time to Abandon a Very Costly Collective Delusion". *HuffPost Impact*, Nova York, 06 abr. 2014. Disponível em: <https://www.huffpost.com/entry/burnout_b_5102468>.

"IBGE: estudo mostra desigualdade de gênero no mercado de trabalho". *UOL*, São Paulo, 04 mar. 2021. Disponível em: <https://economia.uol.com.br/noticias/agencia-brasil/2021/03/04/estudo-revela-tamanho-da-desigualdade-de-genero-no-mercado-de-trabalho.htm>.

JARRETT, Christian. "Why Procrastination Is About Managing Emotions, Not Time". *BBC*, Londres, 14 maio 2020. Disponível em: <https://www.bbc.com/worklife/article/20200121-why-procrastination-is-about-managing-emotions-not-time>.

JERICÓ, Pilar. "Fale consigo mesmo como faria com um amigo". *El País*, São Paulo, 23 jul. 2021. Disponível em: <https://brasil.elpais.com/eps/2021-07-23/fale-consigo-mesmo-como-faria-com-um-amigo.html>.

_____. "Você é o que você se diz: a ciência do diálogo interno". *El País*, São Paulo, 06 maio 2019. Disponível em: <https://brasil.elpais.com/brasil/2019/05/05/ciencia/1557083642_455016.html>.

KAUFMAN, Sarah. "'It's Not Worth It': Young Women on How TikTok Has Warped Their Body Image". *NBC News*, Nova York, 19 jul. 2020. Disponível em: <https://www.nbcnews.com/tech/tech-news/it-s-not-worth-it-young-women-how-tiktok-has-n1234193>.

KAY, Katty; SHIPMAN, Claire. "The Confidence Gap". *The Atlantic*, Washington, maio 2014. Disponível em: <https://www.theatlantic.com/magazine/archive/2014/05/the-confidence-gap/359815/>.

KHAZAN, Olga. "Plight of the Funny Female, Why People Tend to Appreciate Men's Humor So Much More Than Women's". *The Atlantic*, Washington, nov. 2015. Disponível em: <https://www.theatlantic.com/health/archive/2015/11/plight-of-the-funny-female/416559/>.

LAGE, André. "A Teoria do Apego ajuda a entender a relação entre Carla e Arthur no BBB 21". *UOL*, São Paulo, 17 mar. 2021. Disponível em: <https://www.uol.com.br/universa/colunas/soltos/2021/03/17/a-teoria-do-apego-vai-te-ajudar-a-entender-a-relacao-entre-carla-e-arthur.htm#:~:text=Os%20inseguros%20ambivalentes%20sofrem%20com,de%20serem%20deixados%20ou%20trocados>.

LEWIS, Scott; STOIAN, Oliviu. "The Durex #Orgasmsforall Survey". *Durex*, 2016. Disponível em: <https://www.durex.co.th/intense/editorial-contents/orgasmic-facts/the-durex-orgasmsforall-survey/>.

MAATZ, Luís Felipe. "Cirurgia plástica na adolescência é um risco?". *iSaúde*, 22 dez. 2019. Disponível em: <https://www.isaude.com.br/noticias/detalhe/noticia/cirurgia-plastica-na-adolescencia-e-um-risco/#:~:text=Segundo%20a%20Sociedade%20Brasileira%20de%20Cirurgia%20Pl%C3%A1stica%20%28SBCP%29%2C,procedimentos%20entre%20jovens%20de%2013%20a%2018%20anos>.

REFERÊNCIAS BIBLIOGRÁFICAS

"MARY Ainsworth: biografia e contribuições". *A Mente é Maravilhosa*, 08 jun. 2020. Disponível em: <https://amenteemaravilhosa.com.br/mary-ainsworth-biografia-contribuicoes/>.

MATTHEWS, Darren. "If This Was Easy, What Would it Look Like?". *Medium*, 2 nov. 2019. Disponível em: <https://medium.com/the-ascent/if-this-was-easy-what-would-it-look-like--183c8e42063c>.

MORACO, Anna Giuglia Minichiello. "Os impactos do gênero na busca por um emprego". *LinkedIn*, 06 abr. 2021. Disponível em: <https://www.linkedin.com/pulse/os-impactos-do--g%C3%AAnero-na-busca-por-um-emprego-menechelli--moraco/>.

"MULHERES brasileiras se sentem feias no verão, é o que mostra pesquisa P&G". *Gendo*, São Paulo, 03 jan. 2014. Disponível em: <https://gendo.com.br/blog/mulheres-brasileiras-se-sente--feias-no-verao/>.

NAHMAN, Haley. "#69: Envy Brain (& a Newsletter Update)". *Maybe Baby*, Nova York, 05 set. 2021. Disponível em: < https://haleynahman.substack.com/p/69-envy-brain>.

NEWMAN, Kira M. "Is Social Connection the Best Path to Happiness?". *Greater Good*, Berkeley, 27 jun. 2018, Disponível em: <https://greatergood.berkeley.edu/article/item/is_social_connection_the_best_path_to_happiness>.

OLEGARIO, Aldrey; et al. "Economia da Atenção e universo das telas: entenda por que é tão difícil se desconectar". *Agência Universitária de Notícias*, São Paulo, 02 set. 2021. Disponível em: <https://aun.webhostusp.sti.usp.br/index.php/2021/09/02/economia-da-atencao-e-universo-das-telas-entenda-por--que-e-tao-dificil-se-desconectar/>.

OLIVEIRA, Thamara. "Saiba mais sobre os 5 fetiches mais procurados no Google em 2020". *Metrópoles*, Brasília, 11 mar. 2021. Disponível em: <https://www.metropoles.com/colunas/pouca--vergonha/saiba-mais-sobre-os-5-fetiches-mais-procurados-no-google-em-2020>.

PAGE, Danielle. "The Science Behind Why We Can't Look Away From Tragedy". *NBC News*, Nova York, 28 set. 2017. Disponível em: <https://www.nbcnews.com/better/health/science-behind-why-we-can-t-look-away-disasters-ncna804966>.

"PERCEBA seu corpo". *Revista Trip*, São Paulo, 28 out. 2020. Disponível em: <https://revistatrip.uol.com.br/tpm/perceba-seu-corpo>.

RABELO, André. "Porque tentar não pensar em algo é uma cilada". *ScienceBlogs*, Campinas, 25 dez. 2012. Disponível em: <https://www.blogs.unicamp.br/socialmente/2012/12/25/porque-tentar-nao-pensar-em-algo-e-uma-armadilha/>.

ROSA, Jana. "Será que dá pra gente se cuidar o tempo todo?". *Bonita de Pele*, 24 jun. 2021. Disponível em: <https://bonitadepele.substack.com/p/em-defesa-das-rotinas>.

SÁNCHEZ, María. "'Não abrir o Twitter' e outros truques de Margaret Atwood para não procrastinar no trabalho em casa". *El País*, São Paulo, 14 jul. 2020. Disponível em: <https://brasil.elpais.com/smoda/2020-07-14/nao-abrir-o-twitter-e-outros-conselhos-de-margaret-atwood-para-nao-procrastinar-quando-se-trabalha-em-casa.html>.

SASSLER, Sharon. "CCF ADVISORY: Research Is In on Sexual Satisfaction for Today's Marrieds". *Council on Contemporary Families*, Nova York, 20 jun. 2016. Disponível em: <https://contemporaryfamilies.org/sex-equalmarriages-advisory/>.

SOARES, Ana Carolina. "Pesquisa da USP mostra que metade das mulheres não chega ao orgasmo". *Veja*, São Paulo, 26 fev. 2017. Disponível em: <https://vejasp.abril.com.br/coluna/sexo-e-a-cidade/pesquisa-da-usp-mostra-que-metade-das-mulheres-nao-chega-ao-orgasmo/>.

SOLON, Olivia. "FaceTune Is Conquering Instagram - But Does it Take Airbrushing Too Far?". *The Guardian*, Londres, 09 mar. 2018. Disponível em: <https://www.theguardian.com/media/2018/mar/09/facetune-photoshopping-app-instagram-body-image-debate>.

"THE Journey to Pretty". *Pretty Foundation*, Disponível em: <https://prettyfoundation.org/why-pretty/>.

WALTON, Alice G. "Anxiety Is Twice as Common in Women as Men, Study Finds". *Forbes*, 7 jun. 2016. Disponível em: <https://www.forbes.com/sites/alicegwalton/2016/06/07/anxiety-is-twice-as-common-in-women-as-men-study-finds/?sh=1fcbb228598b>.

WELLS, Georgia; HORWITZ, Jeff; SEETHARAMAN, Deepa. "Facebook Knows Instagram Is Toxic for Teen Girls, Company Documents Show". *The Wall Street*, Massachusetts, 14 set. 2021. Disponível em: <https://www.wsj.com/articles/facebook-knows-instagram-is-toxic-for-teen-girls-company-documents-show-11631620739>.

WINCH, Guy. "10 Surprising Facts About Rejection". *Psychology Today*, Nova York, 03 jul. 2013. Disponível em: <https://www.psychologytoday.com/us/blog/the-squeaky-wheel/201307/10-surprising-facts-about-rejection>.

Leis

BRASIL. *Declaração Universal dos Direitos Humanos*. 10 dez. 1948. Disponível em: <https://www.unicef.org/brazil/declaracao-universal-dos-direitos-humanos>.

_____. *Código Penal*. Projeto de Lei n° 2325, de 2021. Disponível em: <https://www25.senado.leg.br/web/atividade/materias/-/materia/148901>.

Pesquisas e estudos

BASSON, Rosemary. "The Female Sexual Response: A Different Model". *Journal of Sex & Marital Therapy*, Londres, 2000, pp. 51-65. Disponível em: <https://doi.org/10.1080/009262300278641>.

BREWER, Gayle; HENDRIE, Colin A. "Evidence to Suggest That Copulatory Vocalizations in Women Are Not a Reflexive Consequence of Orgasm". *Arch Sex Behav*, vol. 40, jun. 2011, pp. 559-564. Disponível em: <https://doi.org/10.1007/s10508-010-9632-1>.

BRYMER, Eric; OADES, Lindsay E. "Extreme Sports: A Positive Transformation in Courage and Humility". *Journal of Humanistic Psychology*, 30 out. 2008. Disponível em: <http://dx.doi.org/10.1177/0022167808326199>.

CLANCE, P. R.; IMES, S. A. "The Impostor Phenomenon in High-Achieving Women: Dynamics and Therapeutic Interventions". *Psychotherapy: Theory, Research and Practice*, Atlanta, 1978, pp. 244-247. Disponível em: <https://www.paulineroseclance.com/pdf/ip_high_achieving_women.pdf>.

DALBEM, Juliana Xavier; DELL'AGLIO, Débora Dalbosco. "Teoria do apego: Bases conceituais e desenvolvimento dos modelos internos de funcionamento". *Arq. bras. psicol.*, Rio de Janeiro, v. 57, n. 1, pp. 12-24, jun. 2005. Disponível em <http://pepsic.bvsalud.org/scielo.php?script=sci_arttext&pid=S1809--52672005000100003&lng=pt&nrm=iso>.

DAVYDENKO, Mariya. PEETZ, Johanna. "Time Grows on Trees: The Effect of Nature Settings on Time Perception". *Journal of Environmental Psychology*, Amsterdã, v. 54, 2017, pp. 20-26. Disponível em: <https://doi.org/10.1016/j.jenvp.2017.09.003>.

FREUDENBERGER, Herbert. "Burnout: 30% sofrem do tipo de estresse mais devastador". *International Stress Management Association*, Porto Alegre, 2013. Disponível em: <http://www.ismabrasil.com.br/artigo/burnout-y-30-sofrem-do-tipo-de--estresse-mais-devastador>.

REFERÊNCIAS BIBLIOGRÁFICAS

FRICCHIONE, Gregory. "Stress Management: Enhance Your Well-Being by Reducing Stress and Building Resilience". *Harvard Health Publishing*, 2020. Disponível em: <https://www.health.harvard.edu/mind-and-mood/stress-management-enhance-your-well-being-by-reducing-stress-and-building-resilience>.

"GIRLS' Attitudes Survey 2019". *Girlguiding*, 2018. Disponível em: <https://www.girlguiding.org.uk/globalassets/docs-and-resources/research-and-campaigns/girls-attitudes-survey-2019---data-tables.pdf>.

GUY, Mary Ellen; NEWMAN, Meredith. "Women's Jobs, Men's Jobs: Sex Segregation and Emotional Labor". *Public Administration Review*, v. 64, n. 3, 2004, pp. 289-298, Disponível em: <https://doi.org/10.1111/j.1540-6210.2004.00373.x>.

GUY-EVANS, Olivia. "Introvert and Extrovert Personality Traits". *Simply Psychology*, Bristol, 09 fev. 2021. Disponível em: <www.simplypsychology.org/introvert-extrovert.html>.

LAWSON, M. et al. "Time to Care: Unpaid and Underpaid Care Work and the Global Inequality Crisis". *Oxfam Internacional*, Reino Unido, 2020. Disponível em: <http://dx.doi.org/10.21201/2020.5419>.

HIRSCH, P.; KOCH, I.; KARBACH, J. "Putting a Stereotype to the Test: The Case of Gender Differences in Multitasking Costs in Task-Switching and Dual-Task Situations". *PLOS One*, Reino Unido, 2019. Disponível em: <https://doi.org/10.1371/journal.pone.0220150>.

LEIKAS, Sointu; ILMARINEN, Ville-Juhani. "Happy Now, Tired Later? Extraverted and Conscientious Behavior are Related to Immediate Mood Gains, but to Later Fatigue". *Journal of Personality*, v. 85, n. 5, 09 jun. 2016, pp. 603-615. Diponível em: <https://doi.org/10.1111/jopy.12264>.

MALLORY, Allen B.; STANTON, Amelia M.; HANDY, Ariel B. "Couples' Sexual Communication and Dimensions of Sexual Function: A Meta-Analysis". *The Journal of Sex Research*, pp.

882-898, 2019. Disponível em: <https://doi.org/10.1080/0022 4499.2019.1568375>.

MEURET, Alicia E. et al. "Do Unexpected Panic Attacks Occur Spontaneously?". *Archival report,* v. 70, n. 10, 15 nov. 2011, pp. 985-991. Disponível em: <https://doi.org/10.1016/j.biopsych.2011.05.027>.

MIDURA, Margaretta. "John Vs. Jennifer: A Battle of the Sexes". *Yale Scientific,* New Haven, 19 fev. 2013. Disponível em: <https://www.yalescientific.org/2013/02/john-vs-jennifer-a-battle-of-the-sexes/>.

MYRICK, Jessica Gall. "Emotion Regulation, Procrastination, and Watching Cat Videos Online: Who Watches Internet Cats, Why, and to What Effect?". *Computers in Human Behavior,* v. 52, nov. 2015, pp. 168-176. Disponível em: <https://doi.org/10.1016/j.chb.2015.06.001>.

"OUT-of-School Children, Adolescents and Youth of Primary and Secondary School Age, Female. 2018". *UNESCO UIS Fact Sheet.* n. 48. fev 2018. Disponível em: <http://uis.unesco.org/sites/default/files/documents/fs48-one-five-children-adolescents--youth-out-school-2018-en.pdf>.

"OVERCONFIDENT Men". *Utah State University,* Utah, 17 ago. 2015. Disponível em: <https://www.usu.edu/uwlp/blog/2015/overconfident-men>.

PARK, L. E.; et al. "Desirable But Not Smart: Preference for Smarter Romantic Partners Impairs Women's STEM Outcomes". *Journal of Applied Social Psychology,* v. 46 n. 3, 2015, pp. 158-179. Disponível em: <https://doi.org/10.1111/jasp.12354>.

"PESQUISA nacional por amostra de domicílios contínua. Divulgação especial. Mulheres no mercado de trabalho". *Instituto Brasileiro de Geografia e Estatística - IBGE,* 2018. Disponível em: <https://ftp.ibge.gov.br/Trabalho_e_Rendimento/Pesquisa_Nacional_por_Amostra_de_Domicilios_continua/Estudos_especiais/Mulheres_no_Mercado_de_Trabalho_2018.pdf#:~:text=Em%20 2018%2C%20a%20mulher%20ocupada%20de%2025%20

a,de%2040%20a%2049%20anos%20baixava%20para%20 74%2C9%25>.

PINHEIRO, P. Andréa. "Insatisfação com o corpo, autoestima e preocupações com o peso em escolares de 8 a 11 anos de Porto Alegre" [dissertação]. Porto Alegre: Universidade Federal do Rio Grande do Sul, 2003.

"PRÁTICAS de esporte e atividade física, 2017". *Instituto Brasileiro de Geografia e Estatística - IBGE*, 17 maio 2017. Disponível em: <https://censos.ibge.gov.br/media/com_mediaibge/arquivos/f257c86712d3b07eb70c0913046a397e.pdf>.

PREMUZIC, Tomas Chamorro. "Why Do So Many Incompetent Men Become Leaders?". *Harvard Business Review*, Brighton, 22 ago. 2013. Disponível em: <https://hbr.org/2013/08/why-do-so-many-incompetent-men>.

SCHMEICHEL, Brandon J.; VOHS, Kathleen D.; DUKE, S. Cristina. "Self-Control at High and Low Levels of Mental Construal". *Social Psychological and Personality Science*, Indiana, 12 mar. 2011. Disponível em: <https://www.researchgate.net/publication/235353461_Social_Psychological_and_Personality_Science>.

SCHUMANN, Karina; ROSS, Michael. "Why Women Apologize More Than Men: Gender Differences in Thresholds for Perceiving Offensive Behavior". *Psychol Sci*, nov. 2010. Disponível em: <https://doi.org/10.1177/0956797610384150>.

SLOTTER, E.; GARDNER, W.; FINKEL, E. "Who Am I Without You? The Influence of Romantic Breakup on the Self-Concept". *Journal of Personality and Social Psychology*, v. 36, ed. 2, 2010. Disponível em: <https://doi.org/10.1177%2F0146167209352250>.

STERLING, Adina et al. "The Confidence Gap Predicts the Gender Pay Gap Among STEM Graduates". *Proceedings of the National Academy of Sciences*, v. 117, n. 48, dez. 2020, pp. 30303-30308. Disponível em: <https://doi.org/10.1073/pnas.2010269117>.

SYMONS, Lesley; IBARRA, Herminia. "What the Scarcity of Women in Business Case Studies Really Looks Like". *Harvard Business Review*, Brighton, 28 abr. 2014. Disponível em: <https://hbr.org/2014/04/what-the-scarcity-of-women-in-business-case-studies-really-looks-like>.

TAYLOR, Shelley E. et.al. "Biobehavioral Responses to Stress in Females: Tend-and-Befriend, Not Fight-or-Flight". *Psychological Review*, Updegraff University of California, Los Angeles 2000, v. 107, n. 3, pp. 411-429. Disponível em: <https://www.findem.com.au/resources/tendandbefriend.pdf>.

TONEVA, Yanitsa; HEILMAN, Madeline E.; PIERRE, Gaëlle. "Choice or Circumstance: When Are Women Penalized for Their Success?". *Journal of Applied Social Psychology*, v. 50, n. 11, pp. 651-659, 14 ago. 2020. Disponível em: <https://doi.org/10.1111/jasp.12702>.

TULSHYAN, Ruchika; BUREY, Jodi-Ann. "Stop Telling Women They Have Imposter Syndrome". *Harvard Business Review*, Brighton, 11 fev. 2021. Disponível em: <https://hbr.org/2021/02/stop-telling-women-they-have-imposter-syndrome>.

"UCLA Researchers Identify Key Biobehavioral Pattern Used by Women to Manage Stress". *Science Daily*, University Of California, Los Angeles, 22 maio 2000. Disponível em: <https://www.sciencedaily.com/releases/2000/05/000522082151.htm>.

WENZLAFF, R.; WEGNER, D. "Thought Suppression". *Annual Review of Psychology*, v. 51, n. 1, 2000, pp. 59-91. Disponível em: <https://doi.org/10.1146/annurev.psych.51.1.59>.

WILLIAMS, D.; HOUSE, J. "Social Support and Stress Reduction". *In:* COOPER, C. L.; SMITH, M. (org.). *Job Stress and Blue Collar Work*. John Wiley and Sons, 16 jul. 2021, pp. 207-224. Disponível em: <https://scholar.harvard.edu/davidrwilliams/publications/social-support-and-stress-reduction>.

WILLITTS, M.; BENZEVAL, M.; STANSFELD, S. "Partnership History and Mental Health Over Time". *Journal of Epidemiolo-*

gy & Community Health, v. 58, pp. 53-58, 2004. Disponível em: <http://dx.doi.org/10.1136/jech.58.1.53>.

Músicas

Beyoncé. "Flawless". Escrita por: Hit-Boy, The-Dream, Rey Reel, Beyoncé, HazeBanga. In: *Beyoncé*. Columbia Records, a Division of Sony Music Entertainment, 2013.
Britney Spears. *Oops, I did it Again*. Zomba Recording LLC, 2000.
Nina Simone. "You've got to learn". Escrita por: Marcel Stellman, Charles Aznavour. In: *I put a spell on you*. A Verve Label Group Release. UMG Recordings, Inc. 1965.
Taylor Swift. "All Too Well". Escrita por: Taylor Swift, Liz Rose. In: *Red (Taylor's Version)*. Big Machine, 2012.
Vários intérpretes. "Nothing Compares 2 U". Escrita por: Prince, Prince Nelson.

Séries, filmes e televisão

ADICHIE, Chimamanda Ngozi. "We Should Be All Feminists". *TEDxEuston,* 2017. Disponível em: <https://www.ted.com/talks/chimamanda_ngozi_adichie_we_should_all_be_feminists>.
BILLIE *Eilish, My Next Guest Needs No Introduction With David Letterman*. Netflix, temp. 4, 2022.
BRENÉ *Brown: o poder da coragem*. Netflix, 2019.
CHBOSKY, Stephen. *As vantagens de ser invisível*, 2012.
CHELSEA Lately!. E!, 2007-2014.
DILWORTH, John R. *Coragem, o cão covarde*. Cartoon Network, 2002.
DUNHAM, Lena. *Girls*. HBO, 2012.
FRANK, Scott; SCOTT, Allan. *O gambito da rainha*. Netflix, 2020.

GAY, Roxane. "Escrita criativa: como criar textos pessoais de impacto". *Skillshare*. Disponível em: <https://www.skillshare.com/classes/Creative-Writing-Crafting-Personal-Essays--with-Impact/1709959838>.
HANSER, Patrick. *Sociedade do cansaço*. GNT, 2021, 10 episódios.
KEEPING up with the Kardashians. E!, 2021.
NAGOSKI, Emily. "The keys to a happier, healthier sex life". *TEDxUniversityofNevada*. Disponível em: <https://www.ted.com/talks/emily_nagoski_the_keys_to_a_happier_healthier_sex_life/transcript>.
SCHAEFFER, Jac. *WandaVision*. Disney+, 2021.
SIEGEL, Robert. *Pam and Tommy*. Star+, 2022.
SMITH, Spicer; BRANSON, David. *Ingrid vai para o oeste*. Netflix, 2017.
TILKIAN, Carol. "Passo a passo pra se relacionar com ficante". *Amores Possíveis*, 14 jul. 2022. Disponível em: <https://www.youtube.com/watch?v=5DSqNI5Zp4w>.
WALLER-BRIDGE, Phoebe. *Fleabag*. Prime Video, 2016.
WEINER, Matthew. *Mad Men*. Globoplay, 2007.
WYNN, Natalie. "Envy". *ContraPoints*, 07 ago. 2021. Disponível em: <https://www.youtube.com/watch?v=aPhrTOg1RUk>.

Podcasts

BERNARDI, Tati. "Subvertendo a terapia de casal". *Meu inconsciente coletivo, Folha de S.Paulo*. Disponível em: <https://open.spotify.com/episode/7igICy9Jlgq2qXjwi7IMfo?si=Lg1ZyEKIQVWu4uF7WMLcxw>.
CANOSA, Ana. *Sexoterapia*. Disponível em: <https://open.spotify.com/show/46c6ShdmWlpGdcehKT5vmy?si=e097ec5b43bd481e>.
CERIBELLI, Marcela. *Bom dia, Obvious*. Disponível em: <https://open.spotify.com/show/1592iJQtoIlC5u5lKXrbyS?si=92a9a-827ba324176>.

REFERÊNCIAS BIBLIOGRÁFICAS

DAY, Elizabeth. "How to Fail: Allain de Botton". *How to Fail with Elizabeth Day*. Disponível em: <https://open.spotify.com/episode/33aUJQsz6aKOHmT9uV8ZUs?si=eeffJzHcSkCzZeWZFYbpHw>.

FREITAS, Deia. *Não inviabilize*. Disponível em: <https://open.spotify.com/show/66XCLKbi33MubYTZX2G2jW?si=00ef90b2aca1482e>.

FREMDER, Camila. *É nóia minha?* Disponível em: <https://open.spotify.com/show/3abnr07SkMuHOUOXQpGnf1?si=6368ac70344b48b3>.

_____. *Calcinha larga*. Disponível em: <https://open.spotify.com/show/3C8LowvrjyYDMQljzDmvnu?si=adf7f0c00d6c4805>.

MADEIRA, Louise. *New Me*. Disponível em: <https://open.spotify.com/show/7xtjQGzT79cNknJOkwIlwq?si=4027af394e1e4148>.

MC GOWAN, Marcela. *Prazer, Feminino*, GNT. Disponível em: <https://open.spotify.com/show/4rqmBM50uP7rPzTedSmzOH?si=ebcdea62c3a34727>.

OPRAH. "Super Soul Special: Don Miguel Ruiz: Find Freedom, Happines and Love". *Oprah's Super Soul*, 18 set. 2017. Disponível em: <https://open.spotify.com/episode/3EWQhvOM59Zi8iBRu1uM7r?si=7HV5jNaUQUS2Q31rGfodCA>.

SANTA HELENA, Marina. *O estilo possível*. Disponível em: <https://open.spotify.com/show/6KfFmU8zbLuWedmArdEv45?si=fdca28af80f74283>.

_____. *Um milkshake chamado Wanda*. Disponível em: <https://open.spotify.com/show/05mXtsHUlelamU3wonGJ8a?si=52af4672ca2144bb>.

VIANNA, Branca. *Praia dos Ossos*. Disponível em: <https://open.spotify.com/show/2KkiolWqyMWegWAFe2mZOg?si=e088f7e1c9e0442d>.

Este livro foi impresso pela Vozes, em 2025, para a
HarperCollins Brasil. O papel do miolo é
Lux Cream 60g/m², e o da capa é cartão 250g/m².